CELWYDD OLL

CELWYDD OLL

SIAN NORTHEY

bwthyn
GWASG Y BWTHYN

ISBN 978-1-912173-10-5

Cyhoeddwyd gyda chymorth ariannol
Cyngor Llyfrau Cymru

Dyluniad y clawr: Sion Ilar
Llun y clawr blaen: Hriday Krishnan
Llun y clawr cefn: Mel Perry

Cyhoeddwyd ac argraffwyd gan
Gwasg y Bwthyn, Caernarfon
gwasgybwthyn@btconnect.com

I ELIN

(a phob llyfrwerthwr annibynnol
arall yng Nghymru)

Diolch yn fawr i Marred a phawb arall yng
Ngwasg y Bwthyn am eu gwaith a'u gofal,
ac i'r Cyngor Llyfrau – yn gorff
ac yn unigolion sy'n gweithio yno.
Diolch hefyd i gynllun Awduron wrth eu Gwaith,
Gŵyl y Gelli a staff a myfyrwyr Ysgol y Gymraeg,
Prifysgol Bangor.
Dw i'n dipyn gwell sgwennwr o'ch herwydd.

Nes na'r hanesydd at y gwir di-goll

Ydyw'r dramodydd, sydd yn gelwydd oll.

R. Williams Parry

RHAGYMADRODD

'Lle 'dach chi'n cael eich syniada am straeon?'

Fel y gŵyr pawb sydd wedi rhoi sgwrs ynglŷn â'u llyfrau i unrhyw gymdeithas lenyddol neu griw cyffelyb, dyma un o'r cwestiynau sydd yn cael eu gofyn amlaf. Y gwir, wrth gwrs, yw bod syniadau ym mhobman ac mai'r gwaith ydi dethol y rhai gorau. Prin iawn yw'r ysgrifenwyr fyddai'n honni mai dychymyg pur yw popeth maent yn ei ysgrifennu – mae 'na ryw bwt o rywbeth o'r byd go iawn wedi tanio'r dychymyg bron bob tro. Yn gynffon i bob stori fe gewch weld be daniodd fy nychymyg yn achos y straeon hyn.

Gall ysbrydoliaeth am stori fod yn rhywbeth mor fychan â'r ffaith bod rhywun yn tisian mewn ffordd arbennig, ond penderfynais ar gyfer y gyfrol hon gyfyngu fy hun i ddigwyddiadau hanesyddol, er bod rhai, megis 'Stori'r cysodydd' neu 'Hadau', yn deillio o hanes diweddar iawn. Roeddwn wedi ysgrifennu 'Y Gyfrinach' ar ôl gweld rhywbeth mewn arddangosfa yn y Wellcome Collection yn Llundain. Anfonais hi at Marred yng Ngwasg y Bwthyn gan gynnig y syniad o gyfrol o storïau yn deillio o ddigwyddiadau hanesyddol. Yr adeg honno roedd y byd yn lle llawer symlach yn wleidyddol, neu o leiaf felly yr ymddangosai i'r rhan fwyaf ohonom. Bellach, yn 2018, lai na thair blynedd ers i mi ymweld â'r arddangosfa honno yn Llundain, byddai'n anodd ysgrifennu rhywbeth sydd yn deillio o ddigwyddiad tebyg i weithred y Natsïaid heb i'r stori ymddangos fel propaganda gwleidyddol. Cyhoeddwyd y stori honno yn *O'r Pedwar Gwynt* ac mewn e-byst cyhoeddusrwydd disgrifiwyd hi gan y golygyddion fel stori amserol. Gwaetha'r modd, prin y gallwn anghydweld. Ac mae wedi dod yn fwyfwy amlwg i mi wrth ysgrifennu'r straeon, gan osod yn aml iawn ddigwyddiad hanesyddol mewn amser arall, neu ryw amser amhenodol, fod merched a dynion yr un peth trwy'r canrifoedd.

Rwy'n mawr obeithio bod y straeon yn sefyll ar eu traed eu hunain fel straeon byrion – fel straeon am bobl. Rhywbeth i'r darllenydd edrych arnynt wedyn, os myn, yw'r pytiau sy'n dilyn y straeon.

CYNNWYS

Blodau mân y morfa

Sut allai blodau mân y morfa fod yn dal yno, yn binc ac yn dlws, yn glymau bychan o liw ar y borfa? Fe ddylan fod nhw fod wedi gwywo, pob un ohonyn nhw, y munud y disgynnodd y darn cyntaf o gnawd yn eu plith. Ond wnaethon nhw ddim, ac mi oeddan ninnau'n eu sathru wrth grwydro'r gwastatir a neidio dros y ffosydd yn chwilio am y darnau. Roedd rhai dynion yn aros am hir pan fyddent yn dod ar draws darn o gorff – coes neu law, darn o groen fel tudalen o lyfr neu glust fel cragen. Byddent yn eu hastudio, yn trio penderfynu a oeddynt yn eu hadnabod, yn poenydio'u hunain. Ond fe allwch weithio ochr yn ochr â rhywun bob diwrnod am ugain mlynedd a mwy heb adnabod siâp ei glust. Synnwn i ddim y byddwn i'n methu adnabod clust Menna hyd yn oed, petai'r glust honno'n gorwedd ar ei phen ei hun yn fama yng nghanol y blodau neu yng nghanol y brwyn, dim ond yn gorwedd yno heb na gwegil na gwallt na boch ar ei chyfyl.

Felly wnes i ddim gwneud hynny. Pan oeddwn i'n gweld darn o gorff mi fyddwn i'n ei gipio i fyny'n sydyn a'i ollwng i'r sach, yn union fel petawn i'n blentyn bach eto yn hel broc môr i Mam ei roi ar y tân. Er mor wyrdroëdig ydi deud hyn, bron nad oeddwn i'n teimlo balchder wrth i fy sach lenwi a thrymhau. Ac unwaith roedd y sach yn rhy llawn i'w chario mi oeddwn i'n cael mynd â hi'n ôl i'r swyddfeydd. Fe fyddan nhw yn fanno'n cael trio adnabod y darnau a rhoi'r jig-sôs at ei gilydd. Dw i ddim yn meddwl eu bod nhw wedi gwneud rhyw ymdrech fawr. Mi oeddan nhw'n gwbod pwy oedd yn y gwaith y diwrnod hwnnw a phwy oedd heb ateb y gofrestr wedyn. Mi oedd ganddyn nhw ddeg enw. A deg bocs. A dw i'n ama mai eu taflu i focs heb feddwl llawer oeddan nhw, trio gwneud yn siŵr nad oedd 'na dair troed neu ddau dalcen mewn unrhyw focs, mae'n siŵr, ddim mwy na hynny. Ond wnes i ddim aros i'w gwylio nhw. Rhoddwyd sach wag arall i mi a'm hanfon allan eto i'r traeth.

'Cer ar hyd ochr yr afon tro 'ma, i lawr i gyfeiriad y môr. Mae 'na ddarnau bach yn fanno, meddan nhw.'

A finna'n mynd fel petawn i'n hel crybinion yng nghaeau Rhiw Goch, heblaw nad oedd yna neb yn mynd i ddod â diod oer a brechdan gaws i mi amser cinio. Yno yng nghaeau Rhiw Goch y gwnes i gyfarfod â Menna. Dim ond tair ar ddeg oedd hi a finna'n un ar bymtheg. Yn ddyn. Ddalltodd yr un o'r hogia pam fy mod i'n fodlon aros i'r ferch, nad oedd llawer mwy na phlentyn, dyfu, ond wnes i ddim amau fy mhenderfyniad am

14

eiliad, a tydw i heb ddifaru fy mhenderfyniad am eiliad wedyn chwaith. Priodas fechan gawson ni.

Darn o goes a'r hosan yn ymestyn fel baner o les ar y tywod.

A'i thad yn gwgu. Ond ei mam yn fy nerbyn. 'Rhodd Duw ydyn nhw pryd bynnag maen nhw'n cael eu geni,' meddai â hanner gwên. Ac mi glywais gan fy modryb wedyn fod yna blentyn wedi bod cyn Menna, bachgen bach, ond nad oedd neb yn siŵr ble roedd hwnnw; rhyw deulu cefnog ochra Tywyn, medda rhywun. Ond colli'r babi wnaeth Menna, a'r rhai oedd wedi amau yn cael ail, a ninnau'n cuddio'n dagrau a Menna'n llosgi ei choban a'r cyfnasau am nad oedd ganddi'r galon i'w golchi.

'Fysan nhw byth yn dod yn lân.'

Darn bach o groen fel darn o wymon diarth, a gwylan yn bachu darn arall cyn i mi ei gyrraedd.

Yr un maint â fy mawd oedd o, llai efallai. Dwy fraich, dwy goes, pen rhy fawr i'w gorff a'r croen yn dywyll lle byddai'r llygaid yn tyfu. Ddaeth yna ddim plentyn arall wedyn, a go brin y daw 'na bellach a hithau'n tynnu at ei deugain. Hwnna oedd fy mab – y peth bach hyll, gwaedlyd na wyddwn i be i'w wneud efo fo. Mi wnes i ei roid o mewn dysgl bridd fechan a soser yn glawr i'r ddysgl a'i adael ar sìl ffenest y gegin lle y gallai glywed yr adar a gweld y môr petai ganddo glustiau a llygaid. Doedd o ddim yno'r diwrnod wedyn a wnes i ddim holi Menna.

Darn o ffedog merch heb unrhyw ddarn o gnawd yn agos ati.

Dwy ferch oedd ymhlith y deg. Mam a merch. Roedd yna fab hefyd yn gweithio efo nhw. Y tri'n gweithio efo'i gilydd wastad. Ond dim ond ei anafu gafodd y mab – mi oedd o ychydig pellach oddi wrth y ffrwydrad. Ond mi oedd y fam a'r ferch ochr yn ochr wrth y fainc. Mi fyddai boi bach y ddysgl bridd yn gweithio efo finna, mae'n siŵr, ac mae'n bosib y bysa fo'n fama'n cerdded y traeth yn rhoi darnau o ddynoliaeth mewn sach. Efallai y dylwn i fod wedi creu gwely hances boced iddo fo, a honno wedyn yn amdo.

Amhosib dweud be ydi o. Dim ond darn o gnawd.

Ac yna mi gerddais ganllath a mwy heb weld dim byd. Mae'n rhaid nad oedd yna'r un darn wedi cael ei daflu ymhellach. Penderfynais y gallwn droi'n ôl. Sefais am ychydig yn gwylio bilidowcar yn glanio ar y tywod ac yn ymestyn ei adenydd i'w sychu. Tannu dillad ar y lein oedd Menna bora 'ma pan wnes i gychwyn am y gwaith; ymestyn i osod pais wrth grys wrth obennydd. Mae hi'n dal mor dlws. Wedi twchu chydig, ond mi ydw inna wedi britho, a bu rhaid i mi gael tynnu dant mis diwethaf.

Mi wnaethon ni i gyd ddechrau cerdded yn ôl tuag at y gwaith 'run adeg; rhyw reddf yn gwneud i bawb ddychwelyd efo'i gilydd fel mae'r defaid yn dychwelyd oddi ar y morfa i'r corlannau fin nos. Roedd y lleill yn sathru'r blodau bychan pinc heb eu gweld ac yn neidio'r ffosydd yn hytrach na cherdded at y pontydd pren. Ond fe gerddais i'n araf gan blygu bob yn hyn a hyn, a chasglu tusw bychan o'r blodau – Clustog Mair – a'u rhoi yn ofalus ym mhoced fy nghôt. Roedd y giaffar ei hun wrth y giatiau erbyn hyn, yn derbyn ein sachau.

'Yng ngoleuni'r digwyddiad anffodus mae'r cwmni yn fodlon i chi fynd adref am weddill y diwrnod.'

Holodd 'na neb a fyddai cyflog am y oriau hynny, dim ond gollwng ein sachau wrth ei draed a'i throi hi am adref.

Cyrraedd adref i dŷ gwag wnes i. Roedd Menna'n dal yn y Royal yn golchi llestri a glanhau. Dychmygais ei gwên o weld pryd ar y bwrdd yn aros amdani ac es i olchi fy nwylo. Golchais fy nwylo drosodd a throsodd cyn dechrau pario'r tatws. Tatws a nionod a chaws ac wyau. Gosodais y Clustog Mair mewn cwpan wy ar ganol y bwrdd. Efallai mai hynny wnaeth i Menna chwerthin wrth iddi ddod trwy'r drws. Ac yna sobrodd, fel petai hi wedi sylweddoli nad oedd chwerthin yn beth addas.

'Roeddan nhw'n gwrthod gadael i ni ddod adref,' meddai. 'Roedd yn rhaid i ni orffen ein shifft.'

Ond mi oedd hi wedi clywed gan rywun fy mod i'n un o'r rhai oedd yn crwydro'r morfa efo'n sachau. Gosodais y bwyd ar y platiau a gosod y platiau ar y bwrdd ac fe eisteddodd y ddau ohonom. Bwyta mewn distawrwydd wnaethon ni; dw i'n meddwl fod clywed sŵn anadlu'r naill a'r llall yn ddigon i ni. Gwthiais fy mhlât gwag oddi wrthyf ac edrych arni.

'Be wnest ti efo fo?'

Wnaeth hi ddim ateb, dim ond codi ar ei thraed, gafael yn y blodau Clustog Mair oedd yn y cwpan wy a cherdded allan trwy'r drws i'r ardd. Dilynais hi. Doedd yna ddim yn nodi'r fan, ond rhyw lathen oddi wrth y gwrych fe arhosodd, plygu, a gosod y tusw o flodau mân y morfa ar y llawr.

Y Gwir

Bu sawl damwain ddifrifol yng ngwaith powdr Cookes ym Mhenrhyndeudraeth, a dywedir yn lleol bod un ffrwydrad wedi taflu darnau o gyrff ymhell ac mai'r cyd-weithwyr a anfonwyd i'w casglu oddi ar y morfa islaw'r gwaith.

Y Gyfrinach

'Mi gawn ni'n talu, 'sti.'

Ac am fod yr hynaf angen esgidiau a phris bara mor ddrud ac Anna'n poeni y byddai hi angen bydwraig adeg yr enedigaeth, mi es i efo nhw. Doedd dim angen malu'r drws ddeud gwir ond mi wnaethon ni, gan eu bod nhw wedi rhoi chydig o *schnapps* i ni erbyn hynny a throsol neu fwrthwl lwmp i ambell un ohonom. Roedd o'n lle rhyfeddol – llyfrau a chreiriau a lloriau pren llyfn a bwlynnau'r drysau yn loyw, loyw. Roedd yna lenni melfed trymion, rhai glas, 'run glas â llygaid Anna. Bu bron i mi ddeud hynny wrth un o'r lleill ond penderfynu peidio wnes i. Ac erbyn hynny roedd rhywun wedi tanio coelcerth yn y cowt a ninnau wedi dechrau taflu'r llyfrau i lawr yno trwy'r ffenestri. Llyfrau anllad bob un ohonynt. Meddan nhw wrthan ni.

Roedd hi'n goelcerth dda; mae'n rhaid bod rhywun wedi ei pharatoi o flaen llaw, ychwanegu petrol efallai, a ninnau wrthi am hir yn taflu'r llyfrau o'r ffenestri a dynion eraill yn eu taflu i'r tân os nad oeddan ni'n anelu ddigon da. Roeddan ni fel hogia wyth mlwydd oed yn ceisio taro'r cychod efo cerrig oddi ar y bont. Flynyddoedd maith yn ôl. Pan fyddai llyfr yn disgyn i ganol y fflamau byddem yn gweiddi. A phan fyddai un yn disgyn yn bell o'r tân byddai'r lleill yn chwerthin. Dechreuodd y boi mawr, hwnnw oedd wedi sôn wrtha i am y gwaith, eu taflu i lawr fesul chwech neu saith neu wyth ar unwaith. Malodd y ffenest er mwyn gwneud hynny'n haws. Gwnaeth eraill yr un peth, a'r hogia islaw'n chwerthin wrth i'r gwydr falu'n deilchion dan eu traed.

Weithiau mi fyddwn i'n darllen teitl ambell lyfr wrth eu tynnu oddi ar y silffoedd: *Y Corff Benywaidd trwy'r Canrifoedd, Ymdriniaeth â'r Atyniad Rhywiol rhwng Dyn a Dyn, Hetrorywiaeth yn Chwedlau a Straeon Gwerin y Dwyrain.* Pwy ddiawl fyddai isio darllen y ffasiwn bethau? Llyfrau trymion bob un ohonynt, heb lun ar eu cyfyl. Ac mae'n siŵr y byddent wedi llygru meddyliau ein bechgyn a'n merched ifanc petaent wedi cael gafael arnynt a'u darllen. Felly allan trwy'r ffenest i'r tân â nhw, a'r boi mawr yn ein hannog ac yn agor potal arall pan oedd o'n ein gweld ni'n arafu. Ar fy mhen fy hun yn un o'r ystafelloedd bach yn y cefn yn clirio rhyw ychydig lyfrau oedd ar ôl oeddwn i, a llyfr bychan oedd o. Doedd ganddo ddim teitl hir a thrwsgl fel y lleill. *Y Gyfrinach*, dim mwy na hynny. Wnes i ddim hyd yn oed ei agor, dim ond rhythu arno am eiliad, ac yna ei lithro i boced fy nghôt. Codais hynny o lyfrau oedd yn weddill yn yr ystafell i'm breichiau a'u cario allan i'r twrw a'r taflu.

'Honna'n wag!' gwaeddais ar y boi mawr a chau'r drws y tu ôl i mi. Wn i ddim hyd heddiw pam wnes i achub y llyfr bach â'r siaced lwch las. Ysfa i dynnu'n groes falla. Fel y taflu a'r llosgi, roedd dwyn un peth i mi fy hun a'i guddio yn nodweddiadol o'r hyn y byswn i wedi'i wneud pan oeddwn i'n wyth oed. Naw ar hugain oeddwn i, yn dad i ddau ac un arall ar y ffordd. A doedd Anna feichiog flinedig ddim yn hapus iawn pan wnes i gyrraedd adref yn amlwg yn chwil. Ond mi oedd hi dipyn mwy siriol pan gafodd hi'r arian. Holodd be oeddwn i wedi'i wneud i'w ennill.

'Taflu llyfra budr i'r tân,' medda fi gan afael amdani a cheisio'i denu i ddawnsio o amgylch y gegin.

'Lle gora iddyn nhw,' meddai Anna gan dynnu ei hun yn rhydd o 'ngafael. Bron nad oedd hi'n ysgwyd fel y gwna iâr ar ôl i geiliog ei sathru. 'Ac fe gawn ni gig heno,' ychwanegodd, gan ruthro allan o'r drws a fy ngadael i'n pendwmpian o flaen y tân yn nhraed fy sanau ac yn gobeithio y byddai hi'n prynu darn o borc. Cig eidion brynodd hi, ond doedd o ddim ots. Doeddan ni heb gael darn fel'na o gig ers amser maith, ac mi oedd o'n dda, yn dda iawn.

Ac mi drodd ein lwc ni ar ôl y diwrnod hwnnw. Rhyw wythnos wedyn mi ges i gynnig gwaith. Wn i ddim sut na pham ddeud gwir. Fe ddaeth bachgen nad oeddwn i'n ei adnabod, pryd golau, tua phymtheg oed, at y drws a deud, 'Mae 'na waith i chi ar y rheilffordd. Mae angen i chi fynd i'r orsaf erbyn dau o'r gloch.' A chyn i mi allu holi mwy mi ddiflannodd. Ond mi es draw i'r orsaf yn y pnawn. Doedd gen i ddim byd arall i'w wneud, ac mi oeddan nhw'n fy nisgwyl. Cefais fy rhoi ar waith a chefais gyflog ar ddiwedd yr wythnos. Gwaith digon diflas oedd o. Golygai eistedd am oriau ar fy mhen fy hun yn y cwt bach gwerthu tocynnau mewn gorsaf fechan rhyw dair milltir o'r dre. Ar ddiwrnod prysur byddwn yn gwerthu ugain tocyn. A dyna pryd y dechreuais ddarllen y llyfr. Roedd o'n dal ym mhoced fewnol fy nghôt ers diwrnod y llosgi mawr. Bron nad oeddwn i wedi anghofio amdano fo, ac am ei fod yn fach ac yn ysgafn mae'n rhaid nad oedd Anna wedi sylwi arno wrth iddi hi gymryd fy nghôt i'w chadw cyn gosod pryd poeth o fy mlaen bob min nos. Wnaeth hi ddim dweud dim byd amdano beth bynnag. Ond o ran hynny, doeddan ni ddim wedi bod yn siarad llawer er gwaetha'r ffaith mod i bellach yn ennill cyflog.

Mi oeddwn i'n darllen y llyfr o flaen y stof goed fechan yn y cwt a drysau honno'n agored fel y gallwn ei daflu i mewn iddi heb betruso petai rhywun yn galw. Wn i ddim ai gwres y fflamau neu gynnwys y llyfr oedd yn gwneud i mi wrido. Y gyfrinach yr honnai'r awdur oedd i'w chael rhwng cloriau ei lyfr oedd cyfrinach priodas hir a dedwydd. Nid ennill cyflog a golchi crysau fel y credwn i. Nac ymatal rhag yfed gormod a bod yn oddefol o yfed rhywfaint, fel y credwn hefyd, petawn i'n onest. Yn hytrach, pwyslais y llyfr, yn hollol naturiol o ystyried lle roeddwn wedi'i gael, oedd y berthynas gorfforol rhwng gŵr a gwraig. Roedd iddo benodau, fel sydd yn mhob llyfr bron am wn i, ac roedd yn dechrau gyda 'Y Dyddiau Cynnar'. Es heibio'r bennod honno heb ei darllen; roedd ein dyddiau cynnar ni wedi bod, ac roedd pennod arall yn fy nenu: 'Rhyw pan fo'r wraig yn feichiog'. Darllenais ychydig. Codais o'm cadair a gosod bwced ger y drws fel na fyddai posib i neb ddod i mewn i'r cwt yn ddistaw. Bron nad oeddwn yn credu mai yng nghanol y fflamau oedd lle hwn hefyd. Ac eto ...

Ystyriais adael y llyfr yn y cwt ddiwedd y pnawn ond yna penderfynais y byddai'n fwy diogel ei gario adref efo fi. Yn achlysurol byddai eraill yn dod i'r cwt, yr arolygwr yn sbrotian trwy'r droriau i wneud yn siŵr bod fy ngwaith papur yn gywir. Rhoddais y llyfr bach glas yn ôl yn fy mhoced. Cawn orffen y bennod yfory. Y noson honno gorweddais yn fy ngwely ar fy mhen fy hun. Roedd Anna am orffen trwsio rhwyg yn ei chôt, meddai; fe ddôi i'w gwely wedyn. Daeth ymhen rhyw hanner awr ac estynnais fy llaw gan geisio cofio'r disgrifiad yn y llyfr.

Fe gafodd y llyfr bach glas sawl cartref dros y blynyddoedd, sawl cuddfan i'w gadw o olwg Anna. Ac o olwg y plant ar ôl iddyn nhw dyfu. Ystyriais ei daflu fwy nag unwaith, ond wnes i ddim. Mae o wedi bod acw ers degawdau bellach. Dwn i ddim pryd wnes i ei ddarllen ddiwethaf, ond yn achlysurol mi fyddaf yn symud y darn o bren sydd yn rhydd yn llawr y llofft gefn ac yn edrych arno. Dim ond edrych cyn llithro'r pren yn ei ôl.

Ddoe mi oeddwn i ac Anna yn cerdded ar hyd stryd

mewn rhan anghyfarwydd o'r ddinas, cerdded law yn llaw fel 'dan ni'n ei wneud o hyd er gwaetha'r ffaith fod pobl yn chwerthin am ein pennau weithiau. Ar y llaw dde inni roedd adeilad hardd a edrychai'n gyfarwydd ac am funud allwn i ddim cofio pam. Yna cofiais. A gwenu. Ac fe sylwodd Anna arna i'n gwenu.

'Be?' meddai hi.

'Fanna 'nes i losgi'r llyfra 'na. Ti'n cofio fi'n cael pres a ninna mor dlawd a chditha'n disgwyl ...'

Wnaeth hi ddim ateb, dim ond pwyso yn fy erbyn am funud fel y gwna cath a gwasgu fy llaw yn dynnach.

Y Gwir

Ym mis Mai 1933 llosgwyd llyfrau'r Institut für Sexualwissenschaft gan y Natsïaid yn sgwâr Opernplatz ym Merlin. Sefydlwyd y llyfrgell gan Magnus Hirschfeld, un o arloeswyr hawliau lleiafrifoedd rhywiol. Dinistriwyd tua 20,000 o lyfrau a chylch-gronau a thua 5,000 o luniau, a defnyddiwyd y rhestr faith o enwau a chyfeiriadau oedd gan yr Institut er mwyn erlid hoywon. Yn ystod y llosgi roedd Joseph Goebbels yn areithio i dyrfa o tua 40,000 o bobl.

Bwydo'r chwid

Roedd o wastad wedi dychmygu mai fo fyddai un o'r rhai ar y baricêds. Doedd o ddim yn glir yn ei feddwl be fyddai'r achos yn union, ond ar y baricêds fyddai o. Ar yr ochr oedd yn gwrthryfela ond yr ochr fyddai'n ennill yn y diwedd. Efallai y byddai'n cael ei anafu. Ddim anaf difrifol wrth gwrs. Byddai gwaed, a rhwymau ac efallai arhosiad byr mewn ysbyty, neu ysbyty maes. Ia, ysbyty maes a nyrs lygatddu.

Llygaid glas oedd gan Cara, llygaid glas a oedd weithiau'n siriol ond yn amlach na pheidio yn bryderus. Yn ddiweddar roeddynt yn bryderus wrth iddi wneud ei dun bwyd bob bore ac yna llenwi'r bwced â haidd a gwenith.

'Bydd yn ofalus. Os oes yna unrhyw berygl paid â mynd. Dim ond chwid ydyn nhw.'

A byddai'n ceisio esbonio eu bod nhw'n fwy na 'dim ond chwid'. Nid chwid cyffredin oedd chwid y parc. Roedd yno chwid Pekin, a Mandarin, Aylesbury a dwy

Rouen. Er, roedd hi'n hawdd i'r anghyfarwydd gymysgu rhwng y Rouen a'r hwyaden wyllt gyffredin. Ac roedd yno Fysgofis nad ydynt yn chwadan nac yn ŵydd. A gwyddau, tri math o wyddau. Ac roedd un o'r elyrch yn dal yn fyw, ac er mawr syndod iddo roedd y crëyr yn dal i ymweld weithiau er nad oedd o wrth gwrs yn bwyta'r haidd. Byddai'r crëyr yn hedfan yn araf a thrwsgl uwchben y gynnau pan na fyddai gormod o ymladd, ac yn dal pysgod yn y pwll fel cynt ac yna'n dychwelyd i glwydo ar gyrion y dref.

Gallai Conor glywed y gynnau'n tanio wrth iddo nesáu at y parc ac edrychodd ar ei oriawr, yn poeni ei fod yn gynnar. Ond fe welodd y lefftenant, hwnnw efo gwallt coch, ef yn agosáu a rhoi arwydd i'w filwyr. Distawodd y tanio o du'r rhai oedd yn gwarchod eu caer dros dro yn y parc, ac yna distawodd tanio'r ochr arall o'r adeiladau hardd gyferbyn.

Cerddodd Conor yn ei flaen at y baricêds.

'Deg munud, dim mwy,' siarsiodd y cochyn fel y gwnâi bob bore gan adael i Conor lithro heibio iddo gyda'i fwced. Taniodd y lefftenant sigarét a gwylio'r dyn bychan yn cerdded ar draws y glaswellt briw tuag at y pwll. Gwrandawodd arno yn galw ar yr adar.

'Dowch, genod, genod, genod. Dowch, genod, genod, genod.'

Wrth glywed y llafarganu cyfarwydd mentrodd y chwid a'r gwyddau o'u cuddfannau'n yr hesg a'r llwyni a heidio o amgylch Conor yn disgwyl eu pryd, ac yntau'n gwasgaru'r haidd a'r gwenith fel bod pob un, hyd yn oed yr iâr ddŵr fwyaf swil, yn cael ei siâr. Gwenodd wrth weld fod Cara wedi rhoi ychydig o grystiau yng ngwaelod y bwced ac yna gwgu wrth iddo sylwi ar swpyn gwyn llonydd yng nghysgod yr asaleas. Cerddodd draw gan frysio – roedd ei ddeg munud bron ar ben – a chodi'r corff a'i ollwng yn ddiseremoni i'r bwced gan adael ychydig blu gwynion rhwng y briallu melyn.

Fe sylwodd y lefftenant ar gynnwys y bwced.

'Ddrwg gen i,' meddai wrth i Conor wasgu'n ôl trwy'r baricêds.

Gresynodd y milwr nad oedd wedi sylwi ar y chwadan cyn i'r dyn bach gyrraedd; byddai wedi gwneud pryd i rai o'r dynion, ond efallai fod ar deulu'r dyn bach fwy o'i hangen. Daeth ergyd o un o ffenestri'r gwesty gyferbyn wrth i filwyr y llywodraeth sylwi fod Conor bellach yn ddiogel ac yn cerdded i lawr Stryd y Marian. Doedd dim angen i'r lefftenant coch ddweud wrth ei ddynion bod rhwydd hynt iddynt hwythau ailddechrau tanio. Gwrandawodd Conor ar y gynnau, ac edrychodd ar y corff yn y bwced a dyfalu gynnau pa ochr laddodd y chwadan. Petai un o'i chwid o – wel, chwid y Cyngor i fod yn fanwl ond ei chwid *o* oeddan nhw – wedi cael ei lladd gan filwyr y wladwriaeth yn saethu o ffenestri'r gwestai a amgylchynai'r parc, byddai yntau'n gallu bod yn arwr yn ei sgil. Petai hi wedi cael ei lladd gan y gwrthryfelwyr, wel, peth felly oedd rhyfel.

Aeth heibio'r swyddfa ar y ffordd adref. Roedd rhaid iddo gofnodi ei fod wedi gwneud hynny o waith a oedd yn bosib heddiw, fel pob diwrnod arall ers i'r helynt ddechrau. Os na fyddai'n cadarnhau hynny fyddai yna ddim cyflog ar ddiwedd yr wythnos. Ac roedd angen y cyflog arnynt. Doedd dim oriau ychwanegol, na thâl dwbl am weithio'r Sul, wedi bod er y diwrnod y bu i'r gwrthryfelwyr feddiannu ei barc. Arhosodd yn y swyddfa i fwyta'i dun bwyd efo rhai o'r lleill. Yna gadawodd gan godi'r bwced yr oedd wedi'i gadael wrth y drws.

Cerddodd adref, heibio'r bragdy a'r eglwys a'r gamlas, a'r corff gwyn pluog yn edliw pethau iddo o waelod y bwced.

'Wnest ti ddim ein hachub ni,' meddai'r chwadan farw.

Ac yna dechreuodd ei watwar am bethau eraill.

'Doeddat ti ddim yn dringo i frig y goeden fel y bechgyn eraill.'

'Mi gest ti gynnig lle yn y coleg, yn do?'

Anwybyddodd hi. Gresynai na fyddai ganddo gaead i'r bwced. Neu hyd yn oed dim ond darn o sach i'w osod drosti. Ond fe fyddai'i llais yn treiddio trwy sach – llais felly oedd o.

'A'r tro 'na pan wnaeth y cigydd roi ei law ar din dy wraig. Mi ddyla dy fod ti wedi dweud rhywbeth.'

Dechreuodd gerdded yn gynt gan siglo ei fraich yn ôl ac ymlaen gan obeithio y byddai hynny'n cau ei phig hi.

'Sbia arna i, wnei di? Ti wedi gweld y briw a'r gwaed, do? Mi ddyla dy fod ti wedi gwneud rhywbeth i rwystro hyn.'

Roedd ar ei stryd ei hun erbyn hyn, a'i dŷ o, ei dŷ o a

Cara, yn y pen draw, ond o fewn golwg. Bron nad oedd yn rhedeg. Ond wnaeth o ddim cyrraedd y drws mewn pryd.

'A dy fam? Mi ddyla dy fod ti wedi amddiffyn dy fam. Petaet ti wedi ...'

'Cau dy geg! Cau dy blydi ceg!'

Edrychodd dau blentyn ar eu beics mewn syndod ar y dyn yn gweiddi ar fwced.

'Sori,' meddai Conor.

Agorodd ddrws y tŷ a chamu i mewn. Edrychodd Cara ar ei wyneb gwelw ac edrychodd ar y corff yn y bwced.

'Dim ond chwadan ydi hi, Conor.'

Ac yna edifarhaodd a'i gofleidio.

'Wyt ti isio'i chladdu yn yr ardd?'

Atebodd o ddim.

'Wyt ti isio'i chladdu hi yn yr ardd efo'r lleill?'

'Nag oes.'

Pasiodd Conor yr elor-fwced i'w wraig.

'Plua hi, rhostia hi, gwna gawl efo'r esgyrn.'

Y noson honno roedd croen y frest yn grimp, y cig yn syndod o frau, ac fe eisteddodd y ddau'n bwyta mewn distawrwydd cyfeillgar. Erbyn y bore doedd dim ar ôl o'r chwadan heblaw ychydig esgyrn yn mudferwi gyda nionyn ac ychydig ddarnau moron a sbrigyn o rosmari. Treiddiodd yr arogl trwy'r tŷ; llenwodd Cara'r bwced â bwyd i'r adar fel arfer, a gadawodd Conor am y parc. Ar ôl iddo fynd gresynodd hithau na fyddai wedi golchi'r mymryn gwaed o waelod y bwced.

Aeth Conor heibio'r baricêd fel arfer a gweiddi yn ôl ei arfer.

'Dowch, genod, genod, genod.'

Ac yna ar ôl eu bwydo cerddodd yn ôl a gosod ei fwced wag ar lawr. Edrychodd i fyw llygaid y lefftenant coch.

'Oes gen ti wn i mi?'

Edrychodd y milwr ar y dyn bychan. Roedd o'n eiddil. Roedd cyn hyned â'i daid. Hŷn efallai.

'A phwy fyddai'n bwydo'r chwid?' gofynnodd.

Cododd Conor ei ysgwyddau. Doedd o ddim yn gwbod pwy fyddai'n bwydo'r chwid petai o'n ymladd, petai o'n cael ei ladd.

'Mae bwydo'r chwid yn bwysig,' meddai'r milwr. 'Welan ni chi bora fory.'

Y Gwir

Yn ystod Gwrthryfel y Pasg yn Iwerddon yn 1916, meddiannwyd St Stephen's Green gan yr Irish Citizen Army gyda lluoedd Prydain yn tanio arnynt o'r adeiladau o amgylch y parc, yn arbennig gwesty'r Shelbourne. Enw ceidwad y parc oedd James Kearney, a phob dydd byddai'n mynd yno i fwydo'r hwyaid a byddai'r ddwy ochr yn peidio â thanio er mwyn i hyn gael digwydd.

Sŵn sofrins

Wnaeth y ddau ddim trafod ddeud gwir. Dim ond edrych ar ei gilydd ac edrych ar y corff. Mae'n od sut y gall dau frawd sydd wedi treulio oes yn ffraeo a checru am bopeth dan haul gyd-weld mor rhwydd pan ddaw hi'n fater o bwys. Wnaethon nhw ddim hyd yn oed cyfrif y darnau aur, dim ond eu rhannu'n fras a'u gwthio i'w bagiau. Dechreuodd Daniel rwygo mwsog oddi ar y llawr a'i wthio i'w fag.

'Dw i ddim isio cerdded heibio pawb yn gwneud twrw fel plât casgliad.'

Gwenodd Edward a gwneud yr un peth. Gwthiodd ddyrneidiau o'r mwsog gwyrdd i'r bylchau rhwng y sofrins i'w distewi, ac yna aeth trwy bocedi'r gŵr ar lawr unwaith eto. Ond doedd yna ddim mwy o ysbail, dim ond y watsh aur.

'Ei gwerthu hi a rhannu'r arian?' awgrymodd Edward.

Ysgydwodd Daniel ei ben a chipio'r watsh o law ei frawd.

''Dan ni'n bobl onast, yn tydan? Hon sy'n profi ein bod ni'n bobl onast.'

Daliodd y watsh wrth ei glust. Roedd hi'n dal i dician ac am ryw reswm gwnaeth hynny iddo wenu. Trodd hi drosodd ac edrych eto ar yr ysgrifen mewn iaith ddieithr ar gefn y watsh. Ni allai wneud na phen na chynffon ohoni, ond doedd dim bwys am hynny. Aur oedd aur ym mhob iaith. A chan lithro a bustachu, a heb fwy nag ambell i glec fach ddistaw gan sofren oedd wedi dengid o'r mwsog, fe gariodd y ddau y corff y ddwy filltir ar draws y tir anwastad a di-lwybr yn ôl i'r pentref. Roedd o'n ddyn nobl, ac roedd y ffaith fod ei ddillad yn dal yn wlyb gan ddŵr y môr yn ei wneud yn drymach, ond fe gyrhaeddodd y ddau, neu'r tri os liciwch chi, cyn iddi hi dywyllu.

'Bydd angen pres i'w gladdu,' meddai'r offeiriad.

Ystyriodd pawb hyn am ychydig cyn i Daniel dynnu'r watsh o'i boced.

'Mi oeddwn i wedi gobeithio ffindio rhywun fyddai'n dallt yr iaith ... Trio ffindio pwy oedd o, creadur ...'

Astudiodd yr offeiriad yr ysgrifen a theimlo pwysau'r aur. Llithrodd y watsh i un o'r amryfal bocedi yn ei wenwisg.

'Mae Duw yn darparu mewn dirgel ffyrdd. Mi fydd posib rhoi gwasanaeth syml i'r truan, arch fach o bin efallai. Er mwyn ei enaid.'

Edrychodd ar y ddau frawd a thosturio. Ymbalfalodd mewn poced arall a thynnu dwy hanner sofren ohoni. Rhoddodd un yr un i'r ddau frawd.

'Rhywbeth bach i chi'ch dau am eich cymwynas â'r ymadawedig.'

Diolchodd y ddau iddo'n llaes a rhyfeddodd yntau at ddaioni a diniweidrwydd y werin. Y bore wedyn fe gladdwyd y morwr. A'r bore canlynol fe adawodd yr offeiriad, a'r watsh, y plwyf. Ac fe aeth amser yn ei flaen. Degawdau. Canrif. A mwy.

A daeth dieithryn i'r pentref, dieithryn o'r ochr arall i'r byd a geiriadur ar ei ffôn i'w helpu gyda'r iaith. Baglodd a chamynganodd Ben ei stori, ond tai haf a phobl ddŵad oedd yno bellach a neb yn gwybod am stori'r llong a ddarganfuwyd yn hwylio'n wag heb enaid byw ar ei bwrdd a'r criw a'r aur oedd arni wedi diflannu. Rhoddodd y gorau i holi ac aeth i eistedd ar y graig uwchben yr harbwr yn trio dychmygu ei hen daid allan yn fan'cw'n rhywle yn gwrando ar sŵn y gwynt yn yr hwyliau, ac yn clywed y gwynt yn codi a'r awyr i'r gorllewin yn duo. Roedd y gwynt hwnnw'n llenwi'i ddychymyg fel na chlywodd y wraig oedrannus yn cerdded tuag ato o gyfeiriad y pentref. Eisteddodd hithau ar y graig wrth ei ymyl, yn syndod o sionc o rywun a edrychai mor hen.

'Mi ddaethoch felly.'

Amheuodd Ben nad oedd wedi'i deall yn iawn, ond fe ailadroddodd hithau'r frawddeg.

'Mi ddaethoch felly. 'Dan ni wedi bod yn eich disgwyl. Dowch.'

Arweiniodd y wraig Ben i'w thŷ, caeodd y drws a phlygu i godi un o styllod y llawr. Gosododd gwdyn lledr llychlyd ar y bwrdd, sychu'r gwe pry cop oddi arno ac agor y criau oedd yn ei gau. Tywalltodd y sofrins ar y bwrdd.

'Rhaid i mi ymddiheuro,' meddai. 'Meidrol ydan ni, ac roeddan nhw'n ddyddiau caled.'

'Ymddiheuro?'

'Fe wnaeth Nain wario un ohonynt. A finnau un arall, pan oedd y plant yn fychain a ninnau'n dlawd. Diawl o beth ydi gweld plentyn bach isio bwyd. Roedd Mam yn well dynas.'

Unwaith eto poenai Ben nad oedd yn ei deall; roedd hi'n siarad yn gyflym a'i hacen yn gref, a chamddehonglodd hithau ei wg.

'Mae'n ddrwg gen i. Ond ar wahân i'r ddwy yna maen nhw i gyd yma.'

Gyda chymorth y ffôn bach ac ystumiau esboniodd y wraig sut y bu i'w thaid a'i frawd ddarganfod corff y morwr â'i bocedi yn llawn o aur; a sut ychydig ddyddiau wedyn, i'r de o'r pentref, y cafwyd hyd i long yn nofio ar y môr heb enaid byw ar ei bwrdd.

'Y Cadoxton,' meddai'r wraig.

'Llong fy hen daid,' meddai Ben.

'A'ch aur chi,' meddai'r wraig gan bwyntio at y bwrdd.

'Nid dod yma i chwilio am aur wnes i. Dod yma i chwilio am stori oeddwn i, bedd efallai.'

Teimlai Ben yn anghyfforddus ym mhresenoldeb yr hen wraig a oedd yn gwenu arno.

'Ond roedd yna ddeg o ddynion eraill ar y Cadoxton...' dechreuodd.

Ond torrodd hithau ar ei draws. 'Un corff ddaeth i'r lan, un dyn sydd wedi dod yma i holi. Mae hynna ddigon da i mi. Ac mi ddudodd fy nhaid y byddech chi'n dod. Fe fydd yn braf peidio bod yn gyfrifol amdanyn nhw.'

Dechreuodd Ben roi'r sofrins yn ôl yn y cwdyn.

'Roedd o'n ffortiwn yr adeg yna'n doedd?' meddai.

'Dim ond ei hanner ydi hwnna wrth gwrs. Edward oedd fy nhaid. Roedd Daniel yn ddyn gwahanol, meddan nhw. Mae ei deulu o yn Efrog Newydd. Hyd y gwyddon ni.'

Edrychodd Ben o amgylch y tŷ cyffredin cyn codi'r olaf o'r sofrins a'u gollwng i'r cwdyn a chau'r criau. Yna fe agorodd y cwdyn eto, tynnu hanner dwsin o'r darnau aur allan a'u gosod ar y bwrdd.

'I chi. Am eich cymwynas. Ac am eich gonestrwydd.'

Am funud bu bron iddi hi eu gwrthod, ond yna cofiodd am y gaeafau oer a'r tân nwy roedd hi wedi'i weld yn un o'r tai haf. Fflamau byw heb orfod cario priciau a lludw. Efallai y byddai hyn yn ddigon i dalu am y fath foethusrwydd. Poerodd ar y sofrins cyn eu gollwng i boced ei ffedog.

Safodd yn nrws ei bwthyn yn codi llaw ar Ben wrth iddo gerdded oddi wrthi ar hyd y llwybr caregog. Gallai glywed sŵn y sofrins yn clecian yn erbyn ei gilydd wrth i'w fag ysgwyd ar ei gefn a gobeithiodd na fyddai'r twrw'n denu sylw pan fyddai yng nghanol pobl ar ei ffordd adref. Peth peryg fyddai cyrraedd rhywle diarth ar eich pen eich hun a llond eich pocedi o aur.

Y Gwir

Ym mis Awst 1884 gwelodd llongwyr y Llynges Frenhinol ar yr HMS *Mallard* long o'r enw'r *Resolven* yn mynd gyda'r llif ger Trinity Bay, Newfoundland. Aeth y llongwyr ar ei bwrdd ond nid oedd neb yno, er nad oedd unrhyw arwydd o ymosodiad na helynt. Roedd y tân yn dal ynghyn yn y gegin a bwyd ar y byrddau, ond dim enaid yno, yn fyw na marw. Roedd y cwch achub wedi mynd ac ni welwyd neb o'r criw byth wedyn.

Brig o Aberystwyth oedd y *Resolven* yn hwylio rhwng Cymru a Chanada gan gario coed a phenfras. Ei chapten oedd John James o Geinewydd a gwyddys fod ganddo swm sylweddol o sofrins aur gydag o, ac nid oedd golwg o'r rheini chwaith.

http://www.walesonline.co.uk/lifestyle/nostalgia/welsh-marie-celeste-mystery-8916016

Geiriau

Llyfr ydi o. Dalennau papur rhwng cloriau. Dw i'n ei ddarllen o. Dw i'n ei ddarllen o bob nos, ac wedi ei ddarllen bob nos er pan ddysgis i ddarllen. Dyna pam 'dan ni'n cael ein dysgu i ddarllen. Ac unwaith yr oeddwn i'n gallu darllen yn rhugl mi oeddwn i'n ei ddarllen yn y cwrdd bob wythnos. Dim mwy na darllen i ddechrau, darllen yn eglur ac yn uchel gan gofio rhoi y pwyslais lle roedd fy mam wedi dweud wrtha i. Byddai'n tanlinellu ambell air efo pensel er mwyn i mi gofio eu bod yn bwysig – dyletswydd, aberth, pechod. Ond byddai'n rhwbio'r marciau pensel i ffwrdd cyn y cwrdd a byddai pawb yn dweud bod fy narlleniad yn profi mod i'n deall yr ystyr, yn ymdeimlo â'r Gair. Yna wrth i mi fynd yn hŷn byddai gofyn i mi roi fy marn. Wel, nid rhoi fy marn *i* wrth reswm, ond rhoi barn y doethion oedd wedi ysgrifennu'r esboniadau. Byddwn yn dysgu'r rheini ar fy nghof hefyd ac yna'n cyfnewid ambell air – dweud mwynhad yn hytrach na phleser, dweud marwolaeth yn lle angau. Ac fe fyddai pawb yn credu mod i'n deall ac yn credu. A'r peth od oedd fy mod i ar ôl chydig wedi dod i ddeall ac i gredu. Neu i gredu fy mod yn credu.

Ymgysegrais i un arall – nid dyn o fy newis i ond roedd o'n ŵr da a gweithgar; cyflwynais blant i'r ffydd, tyfodd y plant, a finnau yn fy nhro'n tanlinellu'r geiriau pwysig yn y llyfr ac yn rhwbio'r marciau i ffwrdd cyn iddynt ddarllen yn gyhoeddus. Roedd bywyd yn dda. Roedd fy musnes yn tyfu ac yn ffynnu, ac er nad oeddan ni'n gefnog doeddan ni ddim yn dlawd. Anrhydeddwyd un o'r plant am ei waith ysgol, priododd fy chwaer, dechreuodd y goeden afalau ffrwytho, daeth offeiriad newydd i'n cymuned i'n harwain yn y ffydd. Roedd bywyd yn dda.

Dyn ifanc oedd o, a dyn golygus. Roedd o'n ddyn hynaws a siriol a oedd yn gallu sgwrsio gyda phawb waeth be fo'u cefndir. Pwysleisiodd dro ar ôl tro y byddem yn ddiogel pe byddem yn dilyn y ffydd. Nid oedd ond ychydig flynyddoedd yn hŷn na Gito, fy mab, fy mhlentyn cyntaf. Byddent yn cydaddoli ac yna'n chwarae pêl-droed gyda'r plant bach. Yn fuan iawn roedd Jon fel un o'r teulu. Bu'n gysur amhrisiadwy i mi pan fu farw fy mam. Mi oedd o wedi colli ei fam pan nad oedd ond pymtheg oed, ac yntau ar fin dechrau ei hyfforddiant fel offeiriad. Gallai uniaethu â 'ngholled yn well na fy mhlant fy hun, yn well hyd yn oed na fy nghymar a'i rieni yn fyw ac yn iach.

A phan ddaeth y rhyfel roeddwn yn poeni am feibion fy nghymdogion, y rhai nad oeddynt mewn swyddi gwarchodedig, y rhai oedd yn fyrbwyll ac yn awchus am antur ac yn gwirfoddoli cyn bod yr alwad swyddogol yn dod. Dw i'n cofio edrych trwy ffenest y gegin ar Gito a Jon ryw fore braf yn y gwanwyn yn chwynnu o amgylch y bresych ifanc roeddwn i wedi'u plannu ac yn trafod y Gair. Allwn i ddim clywed eu sgwrs ond trwy ddim ond edrych arnynt gallwn ddweud ei bod hi'n drafodaeth wâr gyda Jon yn esbonio a Gito yn gwrando ac yn holi. Cyfrais fy mendithion a dychwelyd at y bara roeddwn ar ganol ei dylino. Cyfrais fy mendithion oherwydd bod y ddau ohonynt – Gito yn amaethu a Jon yn offeiriad – yn ddiogel rhag cael galwad i ymladd. Rhoddais y toes mewn man cynnes i godi.

Dim ond awgrym oedd yn y bregeth gyntaf. Dim llawer mwy nag ychydig ganmoliaeth i'r rhai oedd yn mynd i ymladd. A'r tro wedyn offrymwyd gweddi dros eu diogelwch. Ac yna gweddi dros fuddugoliaeth. A gallwn deimlo bod y sgyrsiau rhwng Gito a Jon yn mynd yn fwy dwys.

Daeth Gito ataf un noson.

'Mi ydw i a Jon am wirfoddoli, dyna'n dyletswydd yn ôl y Gair.'

Ymbiliais arno i beidio, i beidio peryglu ei fywyd, i beidio mynd i ladd eraill. Roedd yna ddarnau yn y llyfr, meddwn, a'i estyn oddi ar y silff a'u darllen. Ond doedd dim yn tycio. Mi oeddwn i'n camddehongli, yn tynnu pethau allan o'u cyd-destun, yn dehongli fel merch. Daeth Jon i mewn i'r ystafell. Wn i ddim a oedd o wedi bod yn aros y tu allan neu ai cyd-ddigwyddiad oedd hynny.

'Mae o'n ddigon hen i wneud ei benderfyniad ei hun,' meddai.

Teimlais fy ngwrychyn yn codi, ac eto roedd Jon mor gwrtais, mor wylaidd. Cynigiodd ein harwain mewn gweddi, darllenodd o'r llyfr. Edrychodd Gito i fyw fy llygaid, edrych fel yr edrychai arnaf ac yntau'n dal yn blentyn sugno.

'Alla i ddim gadael i Jon fynd ei hun, Mam.'

A chefais ryw gysur o'r syniad o'r ddau ohonynt oddi cartref efo'i gilydd yn gefn i'r naill a'r llall. Ond fe aeth rhywbeth o'i le efo'r gwaith papur. Casglwyd Gito gan y cerbyd milwrol un bore, gadawyd Jon. Bu'n cwyno am yr annhegwch am ddyddiau ac yn esbonio sut roedd yn ceisio datrys y broblem. Aeth y dyddiau'n wythnosau. Parhaodd Jon i weddïo ym mhob cwrdd dros 'ein brodyr sydd yn peryglu eu bywydau'. Ac roedd yn parhau i ddod draw acw i gael paned ac i chwarae pêl-droed efo'r plantos ac i holi am Gito. Ac yna dywedodd rywbeth am y 'rhai ohonom sydd wedi dewis gwasanaethu yn ein cymunedau'. Credais i mi gamglywed, neu efallai i mi gamddeall. Nid oedd gen i neb bellach i danlinellu'r geiriau pwysig, na neb i'w holi am yr ystyr a'r gwirionedd. Cenfigennais wrth fy ngŵr a oedd yn derbyn pob sefyllfa ac yn gwneud ei waith a'i ddyletswyddau ac yn bodloni ar hynny.

Deuai llythyrau gan Gito yn sôn am yr erchyllterau ac yn dweud sut yr oedd Jon yn ffyddiog y byddai'n cael ymuno ag ef yn fuan. Darllenais un llythyr yn ddistaw a Jon am y bwrdd â mi yn estyn am deisen arall. Doedd o ddim yno pan ddaeth y llythyr nesaf. Nid llythyr gan Gito oedd hwnnw ond llythyr gan brif swyddog. Dangosais y llythyr i Jon pan alwodd y pnawn hwnnw. Dechreuodd weddïo. Dechreuodd ddarllen o'r llyfr a finnau gyda fy nghopi yn agored o fy mlaen yn dilyn y geiriau. Ond roedd y llythrennau yn symud i bobman, yn dawnsio'n ddi-drefn ac yna'n casglu'n un swp yng ngwaelod y dudalen gan adael gwacter gwyn uwch eu pennau. Yn y gwacter gallwn weld rhigolau ysgafn ar wyneb y papur lle roedd geiriau wedi'u tanlinellu ers talwm cyn i'r marciau pensel gael eu rhwbio i ffwrdd. A bellach doeddwn i ddim yn gwbod pa rai oedd y geiriau pwysig.

Y Gwir

Fel llawer un arall, yn ystod y Rhyfel Byd Cyntaf perswadiwyd Griffith Jones o'r Pandy neu'r Ffatri, Rhydygwystl ger y Ffôr, i enlistio gan y Parchedig John Williams, Brynsiencyn. Er gwaethaf y ffaith bod ei fam wedi ymbil arno i beidio, rhoddodd ei enw yn y llyfr enlistio yr oedd John Williams wedi ei osod ar fwrdd y cymun pan ddaeth i bregethu i'r Ffôr.

Yng nghanol yr afon

Deg oed oedd o pan aeth o yno gyntaf. Chwilio am rywle i ddianc oddi wrth ei frawd mawr oedd o, a'i unig fwriad oedd llithro i lawr i'r ceunant a chuddio yno gan obeithio y byddai Owen a'i ffrindiau yn mynd yn eu blaenau heb ei weld. Gollyngodd ei hun ychydig lathenni i lawr yr ochr serth. I rwystro'i hun rhag llithro ymhellach, gwthiodd ei droed i fwlch rhwng craig a gwreiddyn un o'r coed derw oedd yn llwyddo i dyfu yno. Gwnaeth ei hun mor fach â phosib ac aros yno'n ddistaw yn gwylio'r dŵr yn llifo dros y creigiau oddi tano ac yn astudio ceinder y rhedyn a dyfai yn yr awyrgylch llaith. Fe basiodd Owen ac un arall ar hyd y llwybr uwch ei ben ond fe sylwodd y trydydd arno fo.

'Dacw fo'r diawl bach!'

A'r peth nesaf mi oedd y tri ohonyn nhw, bechgyn mawr deuddeg oed, yn llithro i lawr ochr y ceunant tuag ato. Fe allai aros a chael ei ddyrnu neu fe allai fentro i'r dŵr a thrio croesi'r afon a dianc. Tynnodd ei droed o'r bwlch a gadael iddo'i hun ddisgyn i lawr tuag at y dŵr. Camodd i mewn iddo a theimlo nerth y llif yn tynnu ar ei goesau. Dechreuodd gerdded yn araf tuag at y lan bellaf, ond erbyn hyn roedd y dŵr ymhell uwchben ei bengliniau a phrin oedd o'n gallu dal ati i gerdded. Gwelodd y tri oedd yn ei ymlid yn petruso ar y lan.

'Cer ar ei ôl o!'

'Cer di!'

Camodd un ohonynt i mewn i'r dŵr ac fe fentrodd Huw ymhellach i ganol y llif. Llithrodd ei droed ar garreg a theimlodd ei hun yn cael ei gario i lawr yr afon. Dim ond ychydig lathenni y cafodd ei gario cyn iddo daro yn erbyn craig. Roedd hi'n glamp o graig yng nghanol yr afon a'i hochrau'n codi'n syth o'r dŵr, fel tŵr bychan. Roedd o wedi'i gweld sawl tro o'r llwybr uwchben y ceunant – craig dywyll, tua wyth troedfedd o uchder a'i chopa'n wastad. Roedd y dŵr yr ochr arall i'r graig yn llawer tyfnach. Dechreuodd ddringo.

Roedd y graig yn llithrig a bu bron iddo golli'i afael fwy nag unwaith. Ond erbyn hyn roedd o wedi anghofio am y bechgyn. Dringo er mwyn dringo oedd o, er mwyn teimlo ei gyhyrau'n tynnu, er mwyn datrys y pos o ble i roi ei droed nesaf, ble i roi ei fysedd wedyn, ac er mwyn cyrraedd y top. Sylwodd fod ei figyrnau'n gwaedu ond nad oedd o'n teimlo unrhyw boen. Ac yna mi oedd o yno, ar y llwyfan o graig droedfeddi uwchben y dŵr a oedd yn llifo'n wyllt bob ochr iddo.

Edrychodd i weld a oedd Owen a'i ffrindiau wedi mentro ar ei ôl, ond erbyn hyn roedd y tri wedi rhoi'r gorau iddi hi ac yn dringo'n ôl i fyny ochr y ceunant. Golygai hynny eu bod tua'r un lefel ag o. Gallai weld fod Owen yn gweiddi rhywbeth ond roedd sŵn y dŵr yn boddi'i lais. Roedd y dŵr yn ei warchod ac roedd y graig yn rhoi nerth iddo. Neu efallai mai rhywbeth arall oedd yn rhoi nerth iddo trwy'r graig. Dechreuodd weiddi a llafarganu. Nid unrhyw gân yr oedd o wedi'i dysgu erioed; doedd y geiriau ddim hyd yn oed yn eiriau iawn, dim ond sŵn, weithiau'n aflafar, weithiau'n bersain. Teimlai fod y dŵr a'r graig yn llefaru trwyddo. Hedfanodd cigfran uwch ei ben gyda rhywbeth yn ei phig ar gyfer y cywion yn y nyth ymhellach i lawr y ceunant. Bron na theimlai y gallai hedfan gyda hi. Cododd ar ei draed ar ben y golofn o graig ac ymestyn ei freichiau fel adenydd. A gwelodd yr ofn ar wyneb ei frawd. Dechreuodd Huw ddawnsio yno a gwelodd Owen yn troi ac yn rhedeg tuag adref a'i ffrindiau yn rhedeg i'r cyfeiriad arall tuag at y pentref. Arhosodd yno nes bod y tri ohonynt o'r golwg ac yna, yn araf, fe giliodd y teimlad o rym a phŵer, y teimlad o fod yn un â'r graig, â'r gigfran, â'r afon. Dechreuodd ystyried be oedd y ffordd orau i ddod oddi yno.

Doedd dod i lawr ddim yn hawdd ac roedd ganddo sawl sgriffiad arall a rhwyg yn ei grys erbyn iddo gyrraedd y gwaelod. A doedd hi ddim yn hawdd croesi'r dŵr yn ôl i'r lan a dringo allan o'r ceunant; roedd rhaid iddo gerdded yn erbyn y llif, ond erbyn i Owen a'i rieni gyrraedd roedd o'n cerdded yn hamddenol ar draws y cae am adref.

Bu gweiddi a dagrau a bu rhaid iddo addo peidio mynd ar gyfyl y graig byth eto, ac ar y pryd doedd o ddim yn bwriadu gwneud. Ac fe gafodd lonydd gan Owen a'i ffrindiau wedi'r diwrnod hwnnw a chafodd hyd yn oed wahoddiad i ymuno ag ambell i antur. Roedd hynny'n braf ac eto, allai o ddim anghofio'r graig – y dŵr oer, y dringo, ond yn fwy na dim y profiad o fod ar ei phen a'r afon oddi tano ac yntau yn... Roedd hi'n anodd disgrifio be wnaeth o. Roedd dweud ei fod yn siarad ar ran y ceunant yn swnio'n wirion. Ac eto, felly roedd o'n teimlo. Fel petai o'n deall pob dim, yn deall heb eiriau ac yn mynegi heb eiriau. Fel petai'n gallu rheoli popeth o ben y graig. Cofiodd am y gigfran. Gallai, fe allai fod wedi hedfan efo hi gan wibio rhwng y canghennau at ei nyth blêr ar y graig. Gallai fod wedi rhwygo'r cig o bigau'r cywion. Ac yn fwy na hynny gallai fod wedi gorfodi'r gigfran i droi yn ei hôl a dod â bwyd y cywion iddo fo. Roedd yn sicr o hynny.

Ac wrth gwrs, fe aeth yn ei ôl yno ymhen hir a hwyr. Roedd llai o ddŵr yn yr afon yr eildro, felly roedd hi'n haws cyrraedd y graig; ac roedd y graig yn sychach, felly roedd hi'n haws i'w dringo. Doedd yna ddim bechgyn yn ei ymlid, doedd dim cigfran ac roedd popeth yn dawelach. Wnaeth o ddim sefyll ar ei draed a gweiddi y tro hwn, dim ond eistedd yno a gadael i'r coed a'r afon a'r graig siarad trwyddo. Roeddan nhw'n mwmian ac yn sisial ac yn sibrwd, ac roedd Huw yn mwmian ac yn sisial ac yn sibrwd. Edrychodd o'i gwmpas. Roedd canghennau'r coed yr un lefel ag o ac adar bach yn symud o gwmpas heb gymryd unrhyw sylw ohono. Nid adar oedd yn ei annog i hedfan oedd y rhain, nid fel y gigfran, a doedd o ddim yn credu y gallai eu rheoli. Ac yna mi welodd y wiwer. Roedd hi'n eistedd ar gangen yn edrych arno ac wedyn fe ddechreuodd ei ddwrdio, y sŵn bach piwis 'na a wna wiwerod pan mae rhywbeth neu rywun diarth yn tresbasu ar eu tiriogaeth. Teimlodd Huw ysfa i ddial arni am fod mor hy, a gwyddai mai'r cwbl roedd rhaid iddo'i wneud oedd canolbwyntio. Roedd o am iddi hi ddod ato. Yn ei feddwl gwelodd hi'n dod i lawr boncyff y goeden, gwelodd hynny'n glir – ei thraed bychain yn gafael yn y rhisgl a'i chynffon yn helpu ei chydbwysedd. Ac yna fe ddaeth y wiwer i lawr o'r goeden, gan ddilyn yr union lwybr yr oedd o wedi'i weld. Roedd hi'n symud yn araf ac yn betrus fel pe na bai ganddi ddewis. Dychmygodd hi'n gadael diogelwch y coed ac yn symud ar draws y cerrig mân tuag at yr afon. Cerddodd y wiwer at lan yr afon, rhoddodd un bawen fechan yn y dŵr ac yna un arall.

'Huw! Huw!'

Clywodd y llais yn galw arno uwchben sŵn y dŵr oddi tano, a throi a gweld gwraig oedrannus yn edrych i lawr arno o ochr draw y ceunant. Roedd hi'n gweiddi er mwyn iddo allu'i chlywed hi.

'Paid â'i ddefnyddio er drwg! Paid byth â'i ddefnyddio er drwg.'

Edrychodd i lawr at lle roedd y wiwer wedi bod ar fin mentro i'r llif, ond mi oedd hi wedi diflannu. Cododd ei ben i edrych eto ar yr hen wraig, ond mi oedd hithau wedi diflannu a doedd yna ddim ar ochr y ceunant ond coed derw bychain cam a rhedyn a mwsog.

Prin oedd y coed wedi tyfu ddegawdau wedyn ac yntau bellach yn hen ŵr. Tyfu'n araf iawn mae coed lle nad oes dyfnder pridd a maeth o fewn cyrraedd eu gwreiddiau. Roedd o wedi cael cymaint o drafferth i fynd i lawr i waelod y ceunant a dringo'r graig heddiw fel y gwyddai mai hwn fyddai'r tro olaf. Byddai trio a methu yn waeth na rhoi'r gorau iddi hi o'i wirfodd. Eisteddodd yno ar y graig hyd nes ei bod wedi tywyllu ac yna gadawodd. Cerddodd ar draws y cae am adref a'r ystlumod yn gwibio uwch ei ben, yn gweld heb weld. Cofiai pryd y gallai glywed eu gwichian a'u trydar.

Roedd ei ferch wedi dechrau pryderu amdano erbyn iddo gyrraedd y tŷ, ond wfftiodd ei hofnau, gwrthod ei chynnig o fwyd ac encilio i'w ystafell at ei lyfrau.

Y Gwir

Gelwir craig fawr yng nghanol afon Cynfal, lle y rhed yr afon trwy'r ceunant, yn Bulpud Huw Llwyd; a dywedir fod Huw Llwyd o Gynfal Fawr (1568? – 1630?) yn mynd yno i synfyfyrio ac i gonsurio ac o'r herwydd tybiai rhai pobl ei fod yn ddyn hysbys.

Stori'r pensaer

Roedd rhaid cael caniatâd wrth gwrs. Tir y plas oedd o, tir y plas oedd y pentref i gyd. A'r coed ar y llechweddau. A'r afon. A'r dolydd rhwng y pentref a'r plas. Ac er bod yr henaduriaid wedi cael caniatâd i adeiladu addoldy roedd yn rhaid i mi fynd i drafod y cynlluniau efo'r Lord.

'Mi fedra i'ch gweld chi am hanner awr wedi deg fore Llun,' medda fo.

Felly am ugain munud wedi deg fore dydd Llun mi oeddwn i yno. Ac yno y bûm i'n eistedd yn amyneddgar ar gadair galed am hanner awr a mwy. Ond, pan ddaeth y Lord i'r golwg, mi oedd yn gwrtais a hynaws a chefais gynnig paned.

'Addoldy bychan felly?' meddai gan estyn y siwgwr i mi.

Nodiais, rhoi dwy lwyaid o siwgwr yn fy nhe a thynnu fy nghynlluniau allan o'r amlen. Mi oeddan ni'n gobeithio cael lle i tua phedwar cant addoli. A oedd hynny'n fychan? Wyddwn i ddim.

Cynlluniau pensaer oedd gen i wrth gwrs. Cynlluniau manwl yn dangos maint ystafelloedd, mesur distiau, lliw y garreg. Lluniau o'r adeilad ei hun oedd rhain, fel petai mewn gwagle. Gosodais hwy ar y bwrdd, clamp o fwrdd mawr derw a oedd yn llenwi hanner y llyfrgell yn y plas, ac edrychodd y Lord arnynt. Er bod yna hanner dwsin o gynlluniau, prin oeddan nhw'n llenwi hanner y bwrdd.

'A'r sgetsys? Ydach chi wedi gwneud y sgetsys?'

Tynnais amlen arall o fy mag. Yn hon roedd cyfres o luniau dyfrlliw y cefais gais i'w gwneud. Roedd ffenestri llydan y llyfrgell yn gwynebu'r pentref a'r olygfa honno oedd yn y lluniau. Cododd y Lord un o'r lluniau a cherdded at y ffenest i'w cymharu. Edrychais innau ar y llun ac ar yr olygfa a theimlo fy mod wedi gwneud joban dda ohoni, er nad oeddwn i wrth reswm wedi cael dod i fewn i'r plas i wneud y lluniau. Roedd popeth oedd i'w weld trwy'r ffenest i'w weld yn y llun – y dolydd a'r afon rhwng y plas a'r pentref, y ffordd oedd yn arwain i fyny'r allt o'r pentref a'r holl strydoedd yn union yn eu lle. Roeddwn wedi gosod y dafarn yn y lle iawn, a'r bont, a'r ysgol. Dim ond un gwahaniaeth oedd rhwng yr olygfa trwy'r ffenest a fy lluniau i – yn fy llun i roedd addoldy. Allwn i ddim peidio â gwenu wrth ei weld yno yn fy llun. Mi oeddwn i mor falch o'r cynllun roeddwn i wedi'i greu ar gyfer blaen yr adeilad. Doedd o ddim yn rhodresgar; os rhywbeth mi oedd o'n eithaf plaen a chlasurol, ond teimlwn ei fod yn gweddu i'w leoliad. Ac er nad oedd yn tynnu sylw ato'i hun roedd yno'n falch ac yn hyderus, yn gwynebu'r tir agored, yn gwynebu'r haul yn yr hwyrddydd ac yn gwynebu Duw. Neu o leia mi oeddwn yn credu y byddai'n cynorthwyo'r rhai fyddai'n ei fynychu i wynebu Duw. Gallwn ddychmygu'r addolwyr yn oedi cyn mynd i mewn iddo ac yn edrych dros y dyffryn, ac yn gogor-droi ar ôl ei adael ar ddiwedd gwasanaeth ac yn edrych i lawr i gyfeiriad y môr gan wybod bod holl ogoniant y cread yno yn rhywle y tu hwnt i'r tonnau. Dyna pam yr oeddwn i wedi gosod palmant llydan a meinciau o'i flaen, er bod hynny'n gwneud yr adeilad ei hun ychydig yn llai.

'Rhy amlwg! Llawer rhy amlwg!'

Wnes i ddim ateb. Wyddwn i ddim be i'w ddweud.

Aeth y Lord yn ei flaen. 'O'r *breakfast room*,' amneidiodd i'r dde i ddangos i mi mai honno oedd yr ystafell agosaf at y llyfrgell, 'o'r *breakfast room* mi fyddwn i a Mrs Bulchay yn ei weld bob bore. A'r plantos.'

'Ond...' Petrusais. 'Ond 'dach chi'n gweld y pentref i gyd. Fyddai dim posib i chi beidio ei weld. Ac ...'

Petrusais eto. Roedd hi'n anodd gwybod sut i eirio pethau.

'Os dw i wedi deall yn iawn, chi wnaeth roi'r darn yna o dir i'r ...'

'Rhoi ar les, yn te.'

Oedodd am funud a thywallt mwy o de iddo'i hun.

'Mi oeddwn i wedi dod i ddealltwriaeth gyda'r... gyda'r ...' Ymbalfalodd am y gair cywir.

'Yr henaduriaid?' cynigiais.

'Ia, y nhw, y dynion ddaeth i fy ngweld. Mi oeddwn i wedi'i gwneud hi'n hollol glir na ddylai fod yn amlwg.'

Edrychodd eto ar fy lluniau a fy nghynlluniau, yna edrychodd arna i.

'Mae yna ddau bosibilrwydd – un ai chawsoch chi ddim o'r cyfarwyddyd cywir ganddynt neu mi ydach chi'n bensaer diffygiol na all gyflawni briff.'

Gosododd fy lluniau dyfrlliw yn ôl ar y bwrdd a chodi pìn ysgrifennu oddi ar y ddesg yn y gornel.

'Rhywbeth fel hyn oedd gen i mewn golwg,' meddai gan dynnu llun blêr ag inc ar draws y dyfrlliw, llun o adeilad isel â ffenestri bychain mewn rhes. Roeddwn wedi gaddo i fy chwaer y byddai'n cael y lluniau dyfrlliw ar ôl iddynt ateb eu diben yma yn y plas. Ond ddwedais i ddim byd. Gafaelodd y Lord yn yr ail lun a chyda'i inc du cynigiodd gynllun arall tebyg ond ychydig yn wahanol. Aeth at y cynlluniau manwl gywrain, at yr un oedd yn dangos y blaen tal urddasol gyda'r palmant llydan o'i flaen, a rhoi llinell trwyddo.

'Gostwng yr uchder fel hyn,' meddai.

'Ond fyddai 'na ddim lle i oriel wedyn, fyddai 'na ddim digon o le i'r holl aelodau.'

Dyna'r unig beth y gallwn i feddwl ei ddweud. Fel llanc ifanc sydd ddim isio sôn am ei gariad, allwn i ddim sôn wrth y dyn yma am wyneb carreg uchel yn ceisio Duw yn haul y prynhawn.

'Wel ei ledu'n de, ddyn! Does dim angen y lle gwastraff yma.'

Aeth gyda'i ysgrifbin at gynllun arall i ddangos sut y byddai'n cael gwared ar fy mhalmant llydan lle roedd yr addolwyr yn edrych tua'r môr ac yn sgwrsio cyn ymlwybro am adref. Rhoddodd linellau trymion trwy'r meinciau ar gyfer yr hen ddynion a'r merched beichiog. Gosododd ei adeilad hir isel yno.

'Mae o'n edrych fel stryd arall o dai,' meddwn.

'Yn union, yn union. Ac oddi yma, dychmygwch.'

Llusgodd fi yn ôl at y ffenest.

'Dychmygwch – o fan hyn prin y byddai neb, ymwelwyr â'r plas er enghraifft, yn deall ei fod yno.'

'Ond ...' ac eto wyddwn i ddim be oeddwn i am ei ddweud ar ôl yr ond. Torrodd yntau ar fy nhraws eto.

'Fe fyddai yna ddigon o le i chi. Synnwn i ddim na fyddai'n rhatach.'

Aeth yn ôl at y cynlluniau a gwneud ychydig farciau ar un arall.

'Y drws yn y talcen wrth gwrs. Ac fe allai pawb gerdded i fyny'r llwybr bach ac yn syth i mewn. Dim angen ffordd.'

Arhosodd yr hen ddynion a'r merched beichiog fu'n eistedd ar fy meinciau adref yn eu tai. Wnaeth neb ogordroi yn haul hwyrddydd haf yn trafod gogoniant y cread.

'Esboniwch wrth yr ...'

'Henaduriaid?'

'Ia, ia. Nhw.'

Rhoddais yr holl bapurau yn ôl yn yr amlenni a gadael. Y noson honno trefnais gyfarfod gyda'r henaduriaid. Dangosais y cynlluniau a'r lluniau dyfrlliw â'r inc du drostynt iddynt.

'Os nad yw'r Lord yn fodlon,' meddai un, 'allwn ni

ddim mynd yn groes iddo. Allwn ni ddim adeiladu'r adeilad sydd yn y cynlluniau gwreiddiol.'

Roedd hi'n amlwg fod y rhan fwyaf ohonynt yn cyd-weld, ond roedd yno rai oedd wedi bod yn arbennig o frwd o blaid fy nghynllun ac awydd dadlau. Gofynnwyd i mi adael yr ystafell er mwyn iddynt gael trafod. Am yr eildro y diwrnod hwnnw eisteddais ar gadair galed am hanner awr. Ceisiais benderfynu sut y byddwn yn ymateb pe baent yn gofyn i mi greu'r cynlluniau ar gyfer yr addoldy bychan di-nod a oedd yn edrych fel stryd o dai tlodaidd, adeilad lle byddai rhaid i'r addolwyr sleifio i mewn trwy ddrws yn y talcen a gadael am adref i lawr y llwybr bach serth heb aros i edrych tuag at y môr. Penderfynais y byddwn yn gwrthod. Efallai mai balchder fyddai hynny, efallai mai rhoi gormod o bwys ar bethau bydol fyddai hynny, ond gwrthod fyddwn i. Mi fyddai'n chwith i mi a'r teulu fy mod yn gwrthod yr arian, ond gwrthod fyddwn i. Ceisiais baratoi ychydig frawddegau twt i esbonio hyn heb eu sarhau a'u brifo. Mae'n bur debyg mai gwendid yndda i oedd fy anallu i wynebu Duw heb wynebu'r môr a'r haul, ond gwrthod cynllunio addoldy a fyddai'n ymddangos fel pe bai ganddo gywilydd ei fod yno fyddwn i.

Gwahoddwyd fi'n ôl i'r ystafell at yr henaduriaid. Roedd ambell un yn dal â'i ben i lawr mewn gweddi, ond cododd rheini eu pennau wrth i mi ddod i mewn. Cyn iddynt gael cyfle i ddweud dim, dywedais na fyddwn yn derbyn comisiwn ganddynt i gynllunio rhywbeth tebyg i'r hyn roedd y Lord wedi'i ddarlunio mor ddiofal.

'Fydd dim angen i chi. Wnawn ni ddim gofyn i chi wneud hynny.'

Teimlais ryddhad. Ond teimlais siom hefyd, a sylweddoli fy mod wedi gobeithio y byddent yn herio'r Lord. Ond chwarae teg iddynt, mae'n siŵr bod cael rhyw fath o addoldy'n well na dim. Er gwaetha'r ffaith eu bod wedi deall fy ngweledigaeth ac wedi bod yn llawn brwdfrydedd, cael rhywle i addoli oedd yn bwysig iddynt – waliau a tho uwch eu pennau a digon o le i bawb. Ac fe allai unrhyw bensaer, unrhyw adeiladwr gwerth ei halen a dweud y gwir, gynllunio'r adeilad pitw a edrychai fel stryd fechan. Prin oeddwn i'n gwrando arnynt. Mi oeddwn i isio gadael, mi oeddwn i isio mynd adref, mi oeddwn i isio rhoi'r holl gynlluniau yn y tân a gwylio'r fflamau yn eu difa a'u troi'n lludw.

'Wel? Fedrwch chi?'

Roedd rhywun yn amlwg yn gofyn rhywbeth am yr eildro. Ond doedd gen i ddim syniad be oedd y cwestiwn a bu rhaid cyfaddef hynny a gofyn iddynt ailadrodd.

'Allwch chi gynllunio pabell?'

'Allwch chi gynllunio un fawr?'

'Un symudol pe bai raid?'

'Mi oeddan ni'n dychmygu rhywbeth lliwgar – sidan glas a phorffor ac ysgarlad – neu ddefnydd gloyw i adlewyrchu haul yr hwyr. Ond y chi ŵyr orau. Chi ydi'r pensaer.'

Y Gwir

Dywedir bod perchnogion Plas Tanybwlch
wedi mynnu bod y capeli ym mhentref
Maentwrog, sydd i'w weld o'r plas, yn cael
eu hadeiladu fel nad oeddynt yn amlwg.

Chwarae efo trên

Doeddwn i ddim hyd yn oed yn flwydd oed, felly tydw i ddim yn cofio dim ohono fo, wrth gwrs. Neu o leia dw i ddim yn credu fy mod i. Ond mae'r stori wedi ei hailadrodd mor aml gan fy nheulu nes fy mod innau'n gallu gweld y tŷ y diwrnod hwnnw a'r gath, nad oedd yn sylweddoli ein bod ni'n ei gadael hi am byth, wedi mynd i guddio rhag sŵn y gynnau o dan y gwely yn y llofft gefn. Ac mi ydw i'n gallu gweld y stryd a bron pob un o'n cymdogion yn gadael, rhai gyda'u heiddo ar gert neu mewn berfa ac eraill yn cario pethau, ac yn cario eu hanwyliaid. Fy mam oedd yn fy nghario i. Roedd fy nhad yn cario dillad ac ambell beth arall ar ei gefn, ac er iddo gynnig ffeirio llwyth efo fy mam sawl tro mi oeddwn i'n gwrthod mynd ato.

Aethon ni ddim ymhell y diwrnod hwnnw, meddan nhw, dim ond i'r pentref agosaf a chael lletty mewn ffermdy, neu yn hytrach mewn ysgubor. Aeth fy nhad i helpu i odro yn gyfnewid am y croeso, ac yno y buom ni, a thri theulu arall, am sawl diwrnod yn gobeithio y byddai'r gelyn yn cilio ac y byddai posib dychwelyd a thrwsio'n tŷ a bwydo'r gath, ac y byddai'n bosib i fy nhad ddychwelyd at ei weithdy a'i gynion a'i goed. Ond dod yn nes ac yn nes wnaeth yr ymladd, dod mor agos nes i daflegryn ffrwydro o fewn llathenni i mi yn fy nghrud yn y cae un bore. Roedd hi'n amser symud eto.

Weithiau, a finnau'n blentyn yn chwarae efo trên bach tegan ar y mat o flaen y tân, mi fyddwn yn galw ar Mam i ddod ata i.

'Dudwch hanes y trên gyntaf, Mam.'

'Mi oedd pawb wrth eu bodda efo chdi.'

'Pawb?' a finna'n gwbod be oedd yn dod nesaf.

'Pawb heblaw y dyn tew yn y gornel. Ond mi oedd o wedi dychryn gormod i siarad efo neb. A hyd yn oed pan oedd y trên yn orlawn, a phobl ar do'r trên ac yn gafael ar yr ochrau, mi oeddat ti'n fodlon. Ac am dy fod ti'n gwenu'n fodlon mi oeddat ti'n cael ambell i beth bach i fwyta gan bobl.'

Ac mi fyddwn i'n gwthio fy nhrên rhwng coesau'r bwrdd a heibio'r aelwyd a Mam yn esbonio pa mor eithriadol o boeth oedd hi y diwrnod hwnnw, a sut y bu i'r trên dorri i lawr oherwydd iddo gael ei daro gan daflegryn. Ac fe fyddai fy nhrên bach i yn aros, wrth ymyl y gadair siglo fel arfer, hyd nes y byddai wedi cael ei drwsio gora bosib, ac yna'n ymlwybro yn ei flaen tuag at y môr. A finnau'n cofio heb gofio.

Ac yna mi fyddai Mam yn tynnu'r cwch o'r bocs teganau a ninnau'n hwylio ar draws mat yr aelwyd, gan ddiolch i'r capten clên a gymerodd drugaredd ar y teulu bach oedd yn sefyll ar y dociau yn ceisio cysuro eu merch. Mae'n rhaid nad oeddwn i mor siriol a bodlon erbyn hynny. Mentro ar y cwch heb unrhyw syniad i le roedd hi'n mynd wnaethon nhw, ac ar ôl cyrraedd derbyn lloches mewn lle nad oedd fawr mwy na chwt heb unrhyw syniad pa mor hir y byddent yno. A phan gynigiwyd lle iddynt fyw, derbyniwyd y cynnig heb fod ag unrhyw syniad sut le oedd Cricieth. Doedd o'n ddim byd ond enw diarth a rhywun wedi rhoi ar ddallt iddynt y byddai tŷ ar eu cyfer yno.

Ac yna mi fyddai'r trên yn dechrau symud eto, yn ôl heibio'r gadair siglo ac yn ei flaen i ben pellaf yr ystafell. Weithiau byddwn yn ei wthio ar hyd y pasej at y drws cefn, heibio'r grisiau a oedd yn fynyddoedd anghyfarwydd.

'Ac mi oeddwn i isio bwyd, doeddwn, Mam?'

'Oeddat. Mi oeddat ti'n crio o isio bwyd. A doedd gen i ddim bwyd i ti, a dim arian i brynu bwyd.'

A dw i'n cofio, heb gofio, sut y bu i wraig glên mewn gorsaf lle bu rhaid newid trên ruthro at Mam efo potel fechan o lefrith a dwy fisgeden. Weithiau maen nhw'n fisgedi crynion ac weithiau'n fisgedi hirsgwar, ac os oes hwyliau da ar Mam mae'r ddynas ddiarth ar y platfform yn dod â bisgedi siocled i mi. Ond cyn iddi allu gwneud mwy na gwenu ei diolch ar y wraig roedd y trên yn symud eto cyn iddo, o'r diwedd, gyrraedd pen y daith. Ac ar y platfform yn fanno roedd yna osgordd fechan o bwysigion yn ein cyfarch. Aelodau'r Pwyllgor Croeso.

Weithiau byddai'r doliau yn ymddangos ar y pwynt yma a Mam yn cyfarch pob un.

'Bore da, Miss Pugh Jones.'

'Mae'n bleser eich cyfarfod, Miss Thomas.'

A phob doli'n gwenu arni, gan nad oes angen iaith i wenu.

'A pha un wnaeth fy nwyn i?'

'Wnaeth hi ddim dy ddwyn di, pwt. Dim ond mynd â chdi i ddangos i'w ffrindiau ym mhen arall y platfform. A finnau wedi dychryn am nad oeddwn i'n deall Saesneg na Chymraeg.'

'Ond pa un oedd hi?'

'Honna'n fanna,' atebai Mam gan bwyntio at y ddoli orau, 'Miss Olwen Lloyd George.'

Ac yna byddai Mam yn rhoi mwy o goed ar y tân ac yn esbonio bod y ferch ifanc, ar ôl fy nandwn am chydig, wedi fy rhoi yn ôl yn ei breichiau a thywys y tri ohonom i dŷ oedd yn eiddo i'w thad. I'r tŷ hwnnw y daeth y dyn papur newydd a'r dyn tynnu lluniau, ac mae'r llun yn dal gen i – llun ohona i yn chwifio baner fy ngwlad a finna ymhell ohoni ac ymhell o beryglon rhyfel. Ac yna mi fyddwn i'n sylwi fod y glaw oedd wedi fy nghadw'n chwarae yn y tŷ wedi peidio a byddai'r trên bach a'r cwch a'r holl ddoliau, gan gynnwys Miss Olwen, yn cael eu taflu yn ôl i'r gist deganau a byddwn yn rhedeg allan i chwarae efo Lora, fy ffrind, gan anghofio popeth am y stori nad oeddwn i'n ei chofio. Tan y tro nesaf.

Y Gwir

Mae gen i hanes ffoaduriaid o Wlad Belg a ddaeth i Bentrefelin, ger Cricieth, gyda chefnogaeth Lloyd George, adeg y Rhyfel Byd Cyntaf. Ysgrifennwyd yr hanes (nid yw wedi'i gyhoeddi) gan y ferch a oedd yn fabi bach pan wnaeth y teulu ffoi. Ar ôl bod yno am flynyddoedd fe ddychwelodd y teulu i Wlad Belg.

Amynedd

Be fyddai wedi digwydd petai hi wedi gwrthod symud?
Petai hi a'r plant wedi aros a gwrthod symud. Fyddan
nhw wedi chwalu'r bwthyn o'i hamgylch? Fyddan nhw
wedi'i llusgo oddi yno gerfydd ei gwallt a'i gollwng ar
gyrion y dref? Fyddan nhw wedi'i lladd hi a'r rhai bach?
Chawn ni byth wbod oherwydd mai rhoi ei hychydig
eiddo mewn sach wnaeth hi pan ddaeth y dynion at y
drws, rhwymo'r bychan ar ei chefn a gafael yn y ddau
arall, un ym mhob llaw, a cherdded oddi yno. Cerdded
oddi yno'n benuchel a'i chalon yn isel gan batsian wrth
y plant am antur a thŷ newydd a deud wrthyn nhw nad
oedd isio iddyn nhw boeni am y dynion diarth. Ceisiodd
eu hannog i ganu wrth gerdded ond wnaeth hynny ddim
para'n hir. Erbyn i'w gŵr ddod adref ddeuddydd wedyn
doedd y bwthyn yn ddim mwy na phentwr o gerrig a'r
distiau duon yn dal i fygu, ac roedd defaid diarth
cynhyrchiol, proffidiol yn pori lle bu'r un fuwch a'r ardd
datws a'r lein ddillad a'r cwt ieir. Fe holodd o am y fuwch

ond chafodd o ddim ateb. Fe lwyddodd i ddal dwy o'r ieir, ond doedd ganddo ddim mynadd dal ati i drio cael gafael ar y gweddill. Cerddodd yntau oddi yno yn ei ddagrau a'r ddwy iâr mewn sach ar ei gefn.

Fe gafodd y ddau hyd i'w gilydd ymhen hir a hwyr – un o ddisgynyddion y pedwerydd plentyn ydw i. Ac, er iddi hi sôn wrth y plant am antur, a hanner gaddo rwbath am fôr a chwch, doedd yna ddim digon o gythral yn yr un ohonyn nhw i fentro ar long i wlad bell a oedd yn llawn gobaith, meddan nhw, na chwaith i fentro i un o ddinasoedd mawrion y de lle na fyddai'r mynyddoedd hyn yn ddim ond rhywbeth mewn llun ar y wal, llun y byddai un o'r plant wedi'i brynu iddynt rhyw Ddolig a hwythau'n hen ac yn hiraethus ac yn anghofus. Aros yma wnaethon nhw, mewn tŷ stryd, gefn yng nghefn â stryd arall a lojar yn yr ail lofft oherwydd nad oedd y cyflog yn ddigon i fagu pedwar o blant. Aros yma i brynu bwyd rhad o siopau a chofio am laeth enwyn ac wyau ffres. A diolch byth eu bod nhw wedi aros, neu fyddwn i ddim yn y rhan yma o'r byd. A phetawn i ddim yma fyddwn i ddim wedi mynd â fy mhabell bob nos Wener a'i gosod hi ar y tir gwastad ger y murddun.

A'r adeg honno y byddai hi'n dod a sgwrsio efo fi.

'Fy mechan i' mae hi'n fy ngalw i.

Mi oedd gen i ofn y tro cyntaf. Fe ddaeth o'r tywyllwch ac eistedd wrth y tân heb ddweud gair. Wnaeth fy nghi, sy'n cyfarth ar bob dieithryn, ddim gwneud smic, dim ond closio ata i a rhythu arni a'i wrychyn wedi codi mewn ofn. Bellach tydi o'n styrbio dim pan ddaw hi.

Hi sy'n dweud wrtha i bob blwyddyn ble mae'r mwyar duon cynharaf. Hi ddwedodd wrtha i am y pwll lle mae'r brithyll yn swrth ac yn hawdd i'w dal. Wel, doeddan nhw ddim yn hawdd i'w dal i ddechrau. Roeddwn i'n symud fy mysedd yn rhy sydyn.

'Amynedd, fy mechan i, amynedd.'

A finnau'n dysgu cosi'n bwyllog, bwyllog ac yna un symudiad chwim. Y tro cyntaf, a'r brithyll uwchben y tân o flaen y babell, mi wnes i gynnig darn o'r pysgodyn iddi hi. Ysgydwodd ei phen.

'Ddim diolch. Ddim bellach. Ond dw i'n cofio.'

Ond gofynnodd am gael dal y gwydryn wisgi, dim ond ei ddal a'i droi yn araf yn ei llaw a'r hylif aur yn denu golau'r fflamau. Yn y bore roedd fy ngwydryn i yno'n wag a'i wisgi hithau heb ei gyffwrdd, a mymryn o wlith ar y gwydryn. Tolltais y wisgi i mewn i fy nghoffi a'i chlywed yn chwerthin yn rhywle.

'Dim byd gwell na rwbath bach yn ei lygad o, nag oes, 'mechan i.'

Yn aml, dim ond ei chlywed hi ydw i. Pan oeddwn i'n eistedd yno rhwng y murddun a'r babell roeddwn yn ei chlywed yn adrodd ei straeon diddiwedd. Mae hi'n siarad llawer mwy na fi, ond weithiau dw i'n dweud rhywbeth. Ac mae hi'n fy nghlywed. Doeddwn i ddim yn siŵr fysai hi'n gallu fy nghlywed. Nid bod ganddi lawer o ddiddordeb yn fy mywyd. Mae'n anodd esbonio pethau wrthi, pethau am fy ngwaith, er enghraifft, er bod ambell i beth yn gwneud iddi hi chwerthin. O wraig a gafodd fywyd mor galed mae'n syndod cymaint mae hi'n chwerthin.

'Waeth 'ti hynny ddim. Does 'na ddim byd o dragwyddol bwys.'

Mae'n siŵr ei bod hi'n gwbod os ydi rhywbeth o dragwyddol bwys. Ac efallai mod i wedi dechrau gwrando arni hi. Roedd sawl un wedi dweud fy mod i'n ymddangos yn llai *stressed*.

'Mae'r gwersylla gwyllt 'na'n gwneud lles i ti, mae'n rhaid,' oedd barn Malcolm yn *Accounts*. Gan y gwirion y ceir y gwir.

Fel y dudis i, tydi hi ddim yn gwrando llawer arna i, nac yn holi llawer arna i. Ond fe wnaeth hi holi am ŵr a phlant, ac mi oedd hi'n amlwg yn siomedig nad oedd gen i y naill na'r llall.

'Mi ddylet,' meddai. 'Chwilia am ddyn clên.'

Ac yna fe edrychodd o amgylch y tir llwm a'r murddun cyn ychwanegu, 'Ac un da ei law sydd ddim ofn gwaith.'

Mi wnes i feddwl lot amdani hi'n deud hynna. Bron fel 'sa hi'n gwbod cyn i mi ddeud wrthi hi. Ac eto, pan wnes i ddeud wrthi hi mi wnaeth hi wenu, gwenu fel giât. Mi wnes i drio esbonio sut oedd perchnogaeth gymunedol yn gweithio, esbonio am grantiau o Ewrop ac arian cyfatebol, a'r holl waith yr oeddwn i a phawb arall wedi'i neud fel bod posib prynu'r tir. Wn i ddim a oedd hi'n deall ai peidio.

'A wnes i rioed feddwl go iawn y bydden ni'n llwyddo. Gobeithio. Dim mwy. Gwych, 'de?'

Mi oeddwn i'n siarad gormod oherwydd ei bod hi, am unwaith, yn ddistaw.

'A chitha wedi cael eich hel o 'ma ganrifoedd yn ôl, a ninnau wedi ...'

Torrodd ar fy nhraws. 'Amynedd, 'mechan i, amynedd. Dyna'r cwbl sydd ei angen. Dim ond dwy ganrif oedd o.'

Tydw i ddim yn ei gweld hi mor aml erbyn hyn ond mae hi'n dal i ddod yma weithiau. Mae fy merch yn ei gweld hi, ac yn cael gwrando ar ei straeon, ond dw i ddim yn credu bod y bechgyn. Tydyn nhw byth yn sôn amdani. A doeddan nhw ddim yn hapus iawn pan ddaeth eu chwaer i'r tŷ ddoe gyda dau frithyll braf, a hithau ddim hyd yn oed yn berchen genwair.

Y Gwir

Mae disgynyddion pobl a gafodd eu hel o'u cartrefi yn ystod Cliriadau'r Ucheldiroedd yn yr Alban yn mynd i brynu rhywfaint o'r tir yn ei ôl gan deulu Dug Sutherland. Y Dug oedd yn gyfrifol am ddigartrefu 15,000 o bobl mewn modd arbennig o frwnt yn nechrau'r 1800au. Mae grŵp cymunedol wedi llwyddo i godi digon o arian i brynu 3,000 o aceri yn ardal Helmsdale.

Y Ffrog

Y fi sy'n gosod y pethau allan pan ddaw hi'n bryd trio'u gwerthu. Dyna sut 'dan ni'n gwneud ein harian, wrth gwrs. Os nad ydi perchennog y watsh neu'r llestri neu'r dilledyn wedi cael gafael ar yr arian i'w prynu'n ôl maen nhw'n mynd i flaen y siop i gael eu gwerthu. Dw i'n falch iawn o sut mae'r siop yn edrych ac yn gwneud tipyn o ymdrech i'w chael yn ddeniadol. Mae llestri'n edrych yn well o olchi llwch oddi arnynt, ac yn aml iawn wrth wneud hynny dw i'n sylwi ar grac na sylwodd David arno. Mae o'n gwbod yn iawn ei fod o wedi gwneud cawlach ohoni eto pan dw i'n gweiddi o'r gegin fechan yn y cefn, 'Faint roist ti am y platiau gleision 'ma?' A waeth iddo heb â dweud celwydd gan mai fi sy'n gwneud y cownts hefyd.

Fi felly sylwodd ar y staeniau ar y ffrog. Mi oeddwn i wedi clywed bod yr heddlu'n chwilio am ffrog werdd. Ffrog werdd roedd yr hogan 'na roeddan nhw'n ei hamau o ladd y boi 'na'n Rhyl yn ei gwisgo'r noson honno, ond doeddan nhw heb ei gweld hi na'i ffrog. Ond mi oeddan

66

nhw'n gwbod ei bod wedi ymweld â'i chwaer, ac yn ôl honno roedd hi'n brin o bres ac wedi mynd â'r ffrog i un o'r *pawn shops.* Roedd yr heddlu wedi bod ym mhob *pawn shop* yn Manceinion yn holi, gan gynnwys acw. Ond sgen i ddim amser i edrych yn fanwl ar bob dilledyn sy'n dod trwy'r drws. Ac nid fy joban i ydi gwneud gwaith yr heddlu ar eu rhan nhw. Ond pan welis i'r staeniau mi wnes i ddweud wrth David a fo fynnodd fynd ar ei ben i swyddfa'r heddlu. Mi fyswn i wedi'i rhoi hi mewn bin sbwriel yn rhywle. Gadawodd David fi yng ngofal y siop, a finnau efo digon o bethau eraill i'w gwneud; rhoddodd y ffrog werdd mewn bag a cherdded i'r swyddfa, sydd gryn hanner milltir i ffwrdd. Mi wnaeth o ystyried cymryd y tram, ond mi oedd yn well gen i wneud stem wrth gownter y siop na'n bod ni'n gwario ar hynny. O leia wnaethon ni ddim derbyn unrhyw blatiau efo craciau tra mod i y tu ôl i'r cownter. Ac mi ges i'r pleser o ddweud wrth honna'n tŷ pen oedd wedi gadael ei jingl jangls coman ei bod hi'n rhy hwyr a'u bod nhw wedi'u gwerthu. Bu bron i mi ddweud wrthi hi pwy oedd wedi'u prynu, ond mae isio bod yn broffesiynol yn y busnas yma. Mi geith hi weld ddigon buan beth bynnag.

Mi aeth hi'n ddwyawr a mwy cyn y daeth David yn ôl. Roedd y bag yn dal o dan ei gesail ac, yn amlwg, roedd rhywbeth ynddo. Doeddwn i ddim yn gwbod be oedd bwysicaf, felly mi gafodd o'r ddau gwestiwn yn un.

'Lle ti wedi bod a be sy'n y bag?'

'Y ffrog, maen nhw'n ...'

Doedd gen i ddim mynadd gwrando ar ei esgusodion.

'Ti o 'ma am oria ac wedyn ti'n dod â hi'n ôl!'

'Gwranda,' medda fo. 'Mae 'na *investigation*. 'Dan ni'n rhan ohono fo. Mi oedd rhaid i mi weithio efo artist yn ei helpu fo i wneud llun o'r ddynas oeddwn i'n gofio, i wneud yn siŵr mai hi oedd hi. Dw i'n mynd i helpu nhw i ddal y myrderyr.'

'Felly pam bod y blydi ffrog yn ôl yn fy siop i?'

'Maen nhw'n gobeithio y daw hi yma i'w nôl hi. Ac wedyn ...'

Mi adewis i'r stafell. Doedd gen i ddim mynadd efo'r lol. Roedd o wedi cynhyrfu fatha hogyn bach yn cael helpu'r plant mawr efo'r tân gwyllt am y tro cyntaf. A llosgi'u bysedd mae'r rheini'n neud.

Doeddwn i ddim yn licio cael y ffrog yn y siop, waeth 'mi fod yn onast ddim. I wneud pethau'n waeth, roedd David wedi gaddo i'r plismyn y byddan ni'n ei rhoi hi yn y ffenest i drio temptio'r ddynas ond y byddan ni'n ffindio rhyw esgus petai unrhyw un arall am ei phrynu. Ar ôl dau ddiwrnod o hyn mi wnes i fynnu ei bod hi'n dod o'r ffenest ac yn cael ei rhoi yn y cefn. Ac mi ddudis i wrth y plismon bach cachu melyn 'na alwodd mai dyna oedd yn digwydd. Ond doeddwn i ddim yn licio ei chael hi'n fanno chwaith. Roeddwn i'n gorfod ei phasio wrth wneud fy ngwaith ac allwn i ddim peidio â meddwl bod y ddynas oedd yn gwisgo hon ddiwethaf wedi lladd rhywun, ac mai gwaed, gwaed dyn, oedd y staeniau bychain welis i. Bychan iawn oeddan nhw. I fod yn deg, doedd o ddim syndod nad oedd David wedi sylwi arnyn nhw pan wnaeth o dderbyn y ffrog. Nid mod i'n mynd i gyfaddef hynny. Ond roeddan nhw fel petaen nhw'n tyfu ryw ychydig bob dydd. Tua hanner dwsin o sbotiau ar y llawes chwith oedd yna i ddechrau, ond yna, wrth i mi ei gwthio ar hyd y relan i wneud lle i fwy o bethau mi wnes i sylwi bod yna farc ar y blaen hefyd, reit ar yr hem. Mae'n rhaid mod i wedi methu sylwi arno fo cynt. Marc bach brown oedd o, y lliw y mae gwaed yn troi wrth iddo sychu.

Ond mi oedd y sbotyn nesaf welis i yn goch. Doedd o ddim yn fawr o gwbl, cylch bychan maint gewin fy mys bach, neu lai hyd yn oed. Ond gan ei fod o ar y goler wen mi oedd o'n amlwg iawn. Roedd hi'n hollol amhosib i mi fod wedi methu ei weld os oedd o yno o'r dechrau. A beth bynnag mi oedd o'n goch, fel gwaed ffres. Doeddwn i ddim ddigon dewr i'w gyffwrdd. A wnes i ddim dweud dim byd wrth David. Gafaelais yn yr hanger yn ofalus heb gyffwrdd yn y ffrog ei hun a'i gwthio i ben draw'r relan, mor bell â phosib oddi wrth y dillad eraill. Doeddwn i ddim am iddi hi gyffwrdd y dillad eraill.

Y drwg efo gwneud hynny, gan adael bwlch clir rhwng y ffrog werdd a'r dillad eraill, oedd ei bod hi'n haws gweld y ffrog wrth basio. Allwn i ddim peidio ag edrych arni bob tro y byddwn i'n mynd heibio, ond ym-ddangosodd 'na ddim mwy o staeniau y bore hwnnw, na'r pnawn chwaith. Ac mi oedd y staen oedd yn goch yn troi'n frown fel y lleill. Ceisiais berswadio fy hun ei fod wedi bod yno o'r dechrau. Y peth olaf dw i'n ei wneud bob diwrnod cyn mynd i fyny'r grisiau i'r fflat i baratoi swper i ni'n dau ydi sgubo'r llawr – y darn cyhoeddus yn y blaen, y gegin fechan a'r stafell gefn lle roedd y ffrog werdd. A dyna pryd y gwelis i o. Wel, nid ei weld o wnes i gyntaf. Mae teimlad brws llawr meddal fel un y siop yn wahanol os ydi o'n cyffwrdd gwlybaniaeth – tydi o ddim yn symud mor rhwydd ar draws y llawr. Dyna wnaeth i mi edrych i lawr, a gweld y cylch coch oedd wedi cael ei festyn yn fysedd hirion ar un ochr wrth i fy mrws fynd trwyddo. Mi sefis i yno'n stond, sefyll yno mor hir nes i mi weld yr ail ddiferyn yn disgyn. Disgyn ac yna llifo ar hyd rhyw rigol fechan yn y llawr pren. Edrychais i fyny ar y ffrog. Roedd y goler i gyd yn waed erbyn hyn. A chyn i mi allu dweud na gwneud dim byd disgynnodd diferyn arall.

Mi allwn i glywed David ym mlaen y siop yn sgwrsio efo rhyw gwsmer hwyr oedd yn gogor-droi. Roedd o fel petai'n sgwrsio am oriau. Fe ddisgynnodd dau ddiferyn eto, un o bob ochr i'r goler y tro hwn. Mi oeddwn i'n gweld y gwaed yn cronni ar bigau'r goler ac yna'n disgyn, yr ochr dde i ddechrau ac yna'r ochr chwith. Fe wnaeth y diferyn ddaeth o'r ochr dde gylch coch newydd ar fy llawr ac aros yno'n bwll bychan crwn. O'r diwedd clywais David yn ffarwelio â'r cwsmer a'i glywed yn cloi'r drws ac yna'n ei folltio, top a gwaelod.

'David!'

Ymddangosodd, a golwg mwy llywaeth nag arfer arno fo.

'Meddwl dy fod ti wedi mynd fyny i neud swpar,' medda fo.

'Tyd yma.'

Ac fe ddaeth ac edrych ar y llawr lle roeddwn i'n pwyntio.

'Ti wedi brifo?' medda fo. Ac yna gwelwi wrth iddo yntau sylwi ar y gwaed ar y ffrog. Roedd yna fwy erbyn hyn. Gwyliodd yntau wrth i'r gwaed gronni ar bigau'r goler. Roedd fel petai'n amhosib peidio edrych nes y byddai'r diferyn wedi rhyddhau ei hun o'r defnydd a disgyn i'r llawr.

'Be ti isio 'mi neud efo hi?' medda fo.

Wnes i ddim ateb, ac fe ofynnodd eto.

'Be ti isio 'mi neud efo hi?'

'Dw i ddim yn gwbod.'

Disgynnodd dau ddiferyn arall. Y dde gyntaf ac yna'r chwith eiliad neu ddwy wedyn.

'Dw i ddim yn gwbod,' medda fi eto. 'Dw i ddim yn gwbod be i neud.'

Edrychodd David o'i gwmpas. Yn y gornel roedd yna domen o gyfnasau gwlâu roedd rhywun wedi'i berswadio fo i'w prynu. Pethau sâl. Cododd yr uchaf ohonynt a chan ei defnyddio i warchod ei ddwylo, tynnodd y ffrog oddi ar y relan. Ac yna, yn sydyn ac yn ofalus lapiodd hi yn y gyfnas. Roedd yn fy atgoffa o sut y lapiodd y milfeddyg y gath mewn llian i'w rhwystro rhag ei gripio. Bron nad oeddwn i'n meddwl bod y parsel defnydd wrth ein traed yn symud ychydig fel y gath, ond dychmygu pethau oedd hynny.

'Wyt ti wedi cynnau tân?' gofynnodd gan amneidio ar i fyny i gyfeiriad y fflat.

'Do.' Mi oeddwn i mor falch o fy stof goed fach newydd i gynhesu'r ystafell fyw fel fy mod i'n cynnau tân bron bob dydd, hyd yn oed pan nad oedd angen mewn gwirionedd.

Cododd David y parsel a chychwyn i fyny'r grisiau. Doeddwn i ddim isio i'r ffrog 'na fynd i lle roeddwn i'n byw, ac eto doeddwn i ddim yn gwbod be i'w wneud efo hi. Dilynais David.

Cerddodd yn syth at y stof goed lle roedd yna danllwyth o dân. Mi oeddwn i hyd yn oed wedi rhoi ychydig o lo ynddi y diwrnod hwnnw.

'Agor y drws,' gorchmynnodd.

Agorais ddrws y stof. Gwthiodd David y ffrog a'i hamdo i mewn i'r fflamau. Gafaelodd yn y procer i'w gwthio i gyd i mewn, ac yna taflu coedyn ar ei phen ac agor y ffliw fel bod y tân yn rhuo. Doedd dim angen iddo ddweud wrtha i am gau drws y stof. Fe aeth David i'r ystafell ymolchi ond mi arhosais i ac edrych ar y fflamau. Roeddwn i'n dal yno pan ddaeth yn ei ôl gan sychu ei ddwylo ar din ei drwsus. Mae hwnnw'n arferiad dw i'n ei gasáu ond ddudis i ddim byd tro 'ma.

Ddeuddydd wedyn y daeth y plismon bach yn ôl i'r siop. Roeddan nhw isio'r ffrog, isio hi fel tystiolaeth, medda fo. Doeddwn i ddim yn siŵr be i'w ddweud. Go brin y bydda fo'n coelio'r gwir. Sefais y tu ôl i fy nghownter heb ddweud dim. Camodd David ato fo.

'Tydi hi ddim yma,' medda fo. 'Roedd o'n hollol annerbyniol bod fy ngwraig yn gorfod dioddef y ffasiwn beth yn ein cartref.'

Dau ddyn bach main, gwelw yn edrych ar ei gilydd ac yn trio penderfynu a oedd hi'n werth dadlau. Cododd y plismon ei 'sgwyddau.

'Maen nhw wedi cael hyd iddi hi beth bynnag. Wel, ei chorff hi ddeud gwir.'

Rhedodd ei fys yn araf ar draws ei wddw, cyn troi a'n gadael ni'n dau yn rhythu y naill ar y llall yng nghanol y llestri a'r offerynnau cerdd a'r modrwyau priodas a'r dillad.

Y Gwir

Y Goleuad, 13 Rhagfyr 1873

Dywed y *Daily News* fod yr heddgeidwaid yn Manchester wedi llwyddo i olrhain allan ddolen golledig mewn cysylltiad a'r llofrudd-iaeth tybiedig yn Rhyl. Dywed y garcharores iddi fod yn Manchester, ac iddi werthu y wisg oedd am dani noswaith y llofruddiaeth mewn pawnshop. Nos Iau y 3ydd, dygodd y pawn-broker y wisg i orsaf yr heddgeidwaid yn Manchester, yr hon a atebai i'r desgrifiad a roddasid o honi, ac yr oedd, meddir, yn meddu arwyddion o waed mewn amryw fanau, ond rywfodd caniatawyd i'r person fyned a'r wisg yn ôl, ac yn awr rhydd ar ddeall ei bod wedi ei cholli. Cynygir gwobr am ei darganfod.

Tân gwyllt a siocled poeth

Fe gafodd y plant de parti'r diwrnod hwnnw, ac er mai dim ond blwydd oedd Elen fe es i draw i'r neuadd. Roedd hi wedi gollwng ond doedd hi ddim am adael fy mreichiau yng nghanol yr holl bobl ddiarth. Rhoddodd Dora May fisgeden iddi, ac ar ôl chydig o berswâd rhoddodd y fisgeden yn ei cheg. Roedd ei gwyneb wrth iddi flasu'r melyster yn werth ei weld.

'Fe fydd rhaid i ti brynu bisgedi bob wythnos rŵan,' meddai Dora, a'r ddwy ohonom yn chwerthin oherwydd ein bod ni'n gwbod yn iawn nad oedd hynny'n bosib.

'Dolig efallai,' meddwn i, a meddwl sut beth fyddai cael bocs cyfan o fisgedi ar fwrdd y gegin ddiwrnod Dolig. Mentrais ddychmygu bocs a oedd hyd yn oed yn cynnwys ambell un siocled, ac fe fyddai llun ar glawr y bocs, llun o fwthyn a rhosod ger y drws, neu lun o gi bach del.

Gymrwch chi fisgeden? Be fyddai'r peth gorau i'w wneud – gosod ychydig ohonynt ar blât, neu gynnig y tun cyfan fel bod pawb yn gweld bod gen i lond bocs, a bod yna rai pinc, a rhai siocled, a rhai sinsir. Ac mai bisgedi siop oeddan nhw, pob un yn union 'run faint.

Yn nhe parti'r plant yn y neuadd mi oeddan nhw wedi cael eu gosod ar blatiau ar y byrddau hirion. Roedd y byrddau'n glytwaith o frechdanau a chacennau a jygiau o ddiod lemon, a'r platiau bisgedi fel sêr bach. Defnyddiau digon cyffredin sydd ar y cwilt clytwaith ar fy ngwely i ac Eifion, ond mae 'na ddarnau bach o felfed bob yn hyn a hyn, wedi dod o hen glogyn Miss Jones. Pethau felly oedd y platiau bisgedi ar y bwrdd.

Ac oherwydd Miss Jones oeddan ni'n cael y parti. Roedd Miss Jones yn priodi. Hogan fach oedd hi pan es i i weithio yn y Plas. Mi oeddwn i'n bymtheg a hithau'n ddeg. Ac mi oedd hi'n feistres corn arna i.

'Tyd i chwarae pêl, Annie.'

'Tyd i fwydo'r merlod, Annie.'

'Cer i nôl diod o lefrith i mi, Annie.'

A finna'n mynd ac yn gwneud er bod gen i gant a mil o bethau eraill i'w gwneud cyn diwedd y dydd. Morwyn fach oeddwn i, doeddwn i ddim i fod i chwarae pêl na bwydo merlod. Doeddwn i ddim hyd yn oed i fod i weini ar Miss Jones – morwyn fach oeddwn i. Ond mi oedd pawb arall ddigon hapus i mi wneud y pethau yma gan fy mod i'n cadw Miss Jones yn ddiddig ac o'r ffordd. Ac wrth gwrs, mi oedd chwarae pêl a nôl gwydriad o lefrith yn llawer brafiach na phario tatws. Ac am ryw chydig fisoedd doedd ganddi hi ddim gyfernes oedd yn byw i mewn am ryw reswm, dim ond un oedd yn gadael am bedwar bob dydd, felly, gan fy mod i'n ffefryn gan yr hogan fach fe ddaethpwyd i ryw ddealltwriaeth anffurfiol mai edrych ar ei hôl hi oedd fy ngwaith i o bedwar o'r gloch ymlaen. Y gwaith gorau ges i'r gaeaf hwnnw oedd mynd efo Miss Jones a'i rhieni i arddangosfa tân gwyllt. Nid dim ond y gwaith gorau ond y diwrnod gorau. Doeddwn i rioed wedi gweld y ffasiwn beth. Mi oedd o'n rhyfeddol.

Bu bron i mi lewygu pan daniwyd y cyntaf – sêr amryliw yn dawnsio ac yn clecian yn yr awyr, fel petai'r byd yn dod i ben. Doedd 'na neb wedi esbonio wrtha i; am wn i nad oeddan nhw'n sylweddoli nad oeddwn i wedi gweld tân gwyllt o'r blaen. Ond yn fuan iawn mi wnes i sylweddoli nad oedd angen bod ofn, ac unwaith y gwnes i ddeall fy mod yn saff allwn i ddim peidio â gwirioni. Daeth cawod o sêr bach arian o'r awyr fel pistyll, ac yna rhywbeth melyn yn troi a throi a gwichian.

'Olwyn Catherine,' meddai Miss Jones gan geisio rhoi'r argraff nad oedd hyn yn ddim byd anghyffredin iddi hi. Ond mi wyddwn nad oedd hithau wedi gweld y ffasiwn beth erioed o'r blaen a'i bod hi wedi gwirioni.

'Fel yn y llyfr,' medda fi, i ddangos fy mod i'n gwbod o ble y cafodd hi'r wybodaeth.

Ond doedd dim, yn sicr ddim y ffaith fy mod i'n bod yn bitw felly ac yn trio'i rhoi hi yn ei lle, yn menu ar ei phleser. Bob tro y byddan nhw'n clecian fe fyddai'n gwelwi ac eiliad wedyn yn gwenu fel giât ac yn gafael yn dynnach yn fy llaw. Weithiau byddai'n edrych i gyfeiriad ei rhieni ond mi oeddan nhw'u dau yn brysur yn sgwrsio â'u cyfeillion ac yn yfed gwin poeth. Mi oeddwn i wedi cael rhyw ychydig o arian ganddyn nhw i brynu pethau i Miss Jones ac mi ges gyfarwyddyd gan y feistres fach i fynd i brynu siocled poeth.

'Fysat ti'n hoffi un, Annie?' gofynnodd yn annisgwyl.

'Arian i chi gael pethau ydi hwn,' meddwn innau ac arogl y siocled poeth yn llenwi fy ffroenau.

Edrychodd y beth fach unwaith eto i gyfeiriad ei rhieni oedd yn sefyll ac yn chwerthin yn uchel wrth ymyl y stondin gwin poeth.

'Os ofynnan nhw mi dduda i mod i wedi cael dau. Ac mi awn ni draw fan'cw i'w hyfed nhw.'

A dyna wnaethon ni.

Mi oedd o'n fendigedig – yn boeth, yn felys, a'r blas yn glynu yn fy ngheg am hir ar ôl i mi ei orffen. Gwnes fy ngorau i beidio meddwl sawl pryd y gallai Mam fod wedi'i greu o'r arian a wariwyd ar ddau ddiod poeth, ac yn hytrach canolbwyntio ar y dewis rhwng ei yfed i gyd tra oedd o'n dal yn boeth a'i sipian yn araf i wneud iddo bara. Penderfynais y byddwn i, tro nesaf, petawn i byth yn cael y ffasiwn beth eto, yn ei sipian yn araf, araf, hyd yn oed petai hynny'n golygu yfed rhywfaint ohono yn oer. Nid mod i wedi llowcio. Rhwng bob llymaid mi oeddan ni'n edrych i fyny ar yr awyr ac yn rhyfeddu, neu efallai mai rhwng pob ffrwydrad o ddagrau amryliw yr oeddan ni'n yfed ychydig o'r siocled.

Ac yna roedd popeth ar ben – dim mwy o dân gwyllt, dim mwy o siocled, ac efallai dim mwy o win poeth. Mi oeddwn i a Miss Jones yn ddistaw iawn ar y ffordd adref, y ddwy ohonom am wn i yn gwneud dim ond cofio'r siocled poeth a'r sêr yn dod yn fyw, tra oedd y ddau yn y blaen yn chwerthin a sgwrsio'n ddi-baid. Ond os oedd hi'n ddistaw ar y ffordd adref doedd hi ddim yn ddistaw wedyn. Bob tro y byddwn i'n ei gweld hi yr unig beth y byddai'n sôn amdano oedd y tân gwyllt. Fe ddaeth i ddangos lluniau i mi yr oedd hi wedi'u gwneud o'r noson – y bobl, y tywyllwch a'r gwreichion amryliw uwch eu pennau. Pan oedd hi'n dathlu'i phen-blwydd gofynnodd a fyddai'n bosib cael tân gwyllt yn y Plas, ond bu rhaid iddi fodloni ar gonsuriwr gwael. Ac fe aeth 'ddim cystal â thân gwyllt' yn ymadrodd roedd y ddwy ohonom yn ei rannu, yn god cyfrinachol.

Pellhau wnaethon ni wrth gwrs wrth i Miss Jones fynd yn hŷn, a finnau'n symud i fod yn un o brif forwynion y gegin. Ond mi oedd yna'n dal berthynas wahanol rhyngddi hi a fi o'i gymharu â gweddill y teulu a gweddill y gweision. A dw i'n ei chofio'n dod adref y noson y gwnaeth hi gyfarfod James Longueville Lloyd. Fi oedd ar ddyletswydd y noson honno, felly fi redodd i fyny'r grisiau pan gyrhaeddodd er mwyn ei derbyn. Cymerais ei chlogyn a gofyn a oedd hi am i mi wneud rhywbeth iddi i'w fwyta. Ysgydwodd ei phen gan wenu, a'r wên fel ei gwên yn ddeg oed er ei bod bellach yn un ar bymtheg.

'Noson dda, Miss Jones?' holais, gan roi mwy o lo ar y tân yn y llyfrgell gan ei bod yn ymddangos fel petai am eistedd yno am ychydig.

'Gwell na thân gwyllt, Annie,' atebodd. 'Gwell na thân gwyllt a siocled poeth.'

Bron nad dyna'r sgwrs olaf gefais i gyda hi. Yn fuan wedyn mi aeth hi at deulu yn Llundain am ychydig fisoedd ac mi adewais innau'r Plas a phriodi, ac yn fuan iawn wedyn ganwyd Elen. Ac yna daeth y newyddion bod Miss Jones yn priodi, yn priodi James Longueville Lloyd. Cafwyd ar ddallt bod y teulu'n cyfrannu rhywfaint o arian fel bod pawb yn y pentref yn gallu cyd-ddathlu, ac fe sefydlwyd pwyllgor i drefnu popeth. Cefais fy mherswadio i ymuno â'r pwyllgor, ac ar ddiwedd trafodaeth hir a thu hwnt o ddiflas sylweddolwyd fod yna fwy o arian nag oedd ei angen ar gyfer y te parti ac fe drodd Dora May ata i.

'Be ti'n feddwl 'sa Miss Jones yn licio'n gweld ni'n neud, Annie? Ti'n ei nabod hi.'

Petrusais. Oeddwn i'n ei hadnabod hi? Adnabod yr hogan fach ddeg oed oeddwn i ddeud gwir.

''San ni'n gallu rhoi baneri ar y ffordd i'r eglwys,' cynigiodd rhywun.

'Neu gael y band yma am y pnawn,' cynigiodd rhywun arall.

Ysgydwais fy mhen.

'Tân gwyllt 'sa hi'n licio,' meddwn.

Ond doedd yna ddim digon o bres i hynny.

'Biti,' meddwn. 'Roedd hi mor hoff o'r clecian ac o'r golau yn y nos.'

Ac yna fe wnaeth un o'r dynion gynnig y byddai'n reit hawdd creu clecian efo powdr o'r chwarel, ac fe fyddai posib cael coelcerth ar ôl iddi hi dywyllu. Roedd o'n edrych mor falch ohono'i hun, a phawb arall mwyaf

sydyn mor frwdfrydig, fel nad oedd gen i'r galon i
esbonio mai sêr amryliw yn disgyn o'r nefoedd fel
dagrau draig oedd tân gwyllt go iawn. Gwnaed y
trefniadau ac wrth i Miss Jones adael yr eglwys roedd
clecian yn diasbedain o'r creigiau, ac, ar ôl i ni i gyd
orffen hel ein boliau yn y te parti, ac ar ôl iddi hi
dywyllu, roedd yna goelcerth yn goleuo'r awyr ar ben
Craig y Wennol. Ac wrth i rywun daflu coedyn mawr arall
ar y tân fe neidiodd yna gawod fawr o wreichion aur i'r
awyr, bron, bron iawn fel tân gwyllt go iawn. Ond erbyn
hynny roedd Miss Jones wedi gadael am ei mis mêl ym
Mharis, lle, meddan nhw, mae pob caffi a thafarn yn
gwerthu siocled poeth.

Y Gwir

Y Genedl Gymreig, 17 Hydref 1899
http://papuraunewydd.llyfrgell.cymru/view
/4446153/4446161/125/llanfrothen

PRIODAS MISS JONES, YNYSFOR. Dau o'r
gloch prydnawn ddydd Mawrth diweddaf, yn
Eglwys St. Brothen, Llanfrothen, cymerodd
priodas Miss Jones, Ynysfor, le. Y priodfab
oedd Mr Frank Longueville Lloyd, Trallwyn,
Pwllheli. Y morwynion oeddynt Misses
Bessie ac Annie Jones (chwiorydd y briodas-
ferch), Miss Ella Briscoe (cyfnither), a Miss
May Lloyd (chwaer y priodfab). Gweithredai

Master Rowley Lloyd Evans, Broom Hall, fel "gwas bach" y briodasferch. Erbyn cyrhaedd y Gareg, &c., gwelwyd fod yr holl ardal yn cadw gwyl er mwyn dathlu yr amgylchiad hapus. Yr oedd pontydd prydferth, ag arnynt eiriau cymhwys i gyfleu dymuniadau goreu y trigolion, yn y Gareg, yr Erw Bach, Ty'nycoed, Rheithordy, a'r Eglwys. Gollyngid allan ergydion o greigiau Penclogwyn, Careg Hylldrem, a Phantwrach, Penygwyllt, Foel Dinas, a Glog Penrallt. Chwareuid yr organ gan Mrs Dr Williams, Middlesboro'. Awd drwy y gwasanaeth gan y Parchn Canon Davies ac R. T. Jones (cefnder-yn-nghyfraith y briodasferch), ficer Glanogwen, Bethesda. Wedi'r wledd ar ol y briodas, ymadawodd Mr a Mrs Longueville Lloyd am Lundain. Bydd iddynt gartrefu yn y dyfodol yn y Fron, Llanfaglan. Cafodd holl blant ysgolion y Cwm, y Gareg, a'r Rhyd, wledd o de, &c., yn y prydnawn. Yn yr hwyr cyneuwyd tan ar ben y Gwyllt, Penclogwyn, Careghylldrem, &c.

Nid y dillad sy'n gwneud y dyn

'Dan ni'n dal i fynd draw i'r fynwent reit aml. Fi a Lucy a Zonia. 'Dan ni'n gwisgo'n dillad gorau, yn cymryd amser i wneud ein colur yn iawn ac yn dewis ein sodlau uchaf er bod 'na chydig o ffordd i gerdded. Ac wrth i ni gerdded yno, a thusw o flodau gwynion gan bob un ohonom, mae pobl sy'n ein nabod yn deud helô, ac mae'r rhai sydd ddim yn ein nabod yn galw Zonia'n bethau fel 'trashy tranny' ac yn gofyn ydi hi hanner pris Lucy a finna, neu ddwywaith y pris falla? Maen nhw'n chwerthin yn uchel oherwydd eu bod nhw'n meddwl eu bod nhw'n ffraeth. Ond y cwbl mae Zonia'n neud ydi troi atyn nhw efo gwên a deud, 'Siop wedi cau heddiw, hogia,' a rhoi ei braich yn ysgafn ar fy mraich i er mwyn fy rhwystro rhag codi helynt. Mae hi wedi fy ngweld i'n codi helynt o'r blaen. Ond mi oedd gen i gwmni adag honno.

'Paid,' medda hi. 'Ti'n gwbod nad ydw i'n licio gwaed a bod Lucy wedi cael gwneud ei gwinedd ddoe.'

Ac mae'r dair ohonan ni'n chwerthin er fy mod i'n chwarae efo'r modrwyau trymion ar fy mysedd. Mae gen i ddwywaith cymaint o fodrwyau bellach; fi wnaeth eu hetifeddu nhw ac mi ydw i'n eu gwisgo nhw i gyd bob dydd. Dw i'n edrych ar wyneb y talaf o'r criw sy'n chwerthin, ac yn meddwl – fanna, rhwng y ddau bloryn yna. A falla'i fod o'n gallu darllen fy meddwl oherwydd mae o'n rhoi'r gora i chwerthin ac yn cerdded i ffwrdd. Neu falla mai tawelwch tal Zonia sy'n gwneud iddo fo gilio.

'Dowch, gens,' medda Lucy, a 'dan ni'n mynd gan gerdded lawr y pafin fraich ym mraich heb symud i'r ochr i neb. Neb heblaw Dei. Mae Dei mewn cadair olwyn, ac mae o wedi cael un newydd drydan a fysa fo'n meddwl dim o'i gyrru hi'n syth trwyddan ni. Mae o'n sylwi ar y bloda ac yn deud, 'Cofiwch fi ati hi, ferched!' wrth i ni gamu i'r ochr cyn ailffurfio'n rhes gadarn.

Unwaith 'dan ni'n y fynwent 'dan ni'n gwahanu ac yn edrych ar ambell i fedd arall ar ein ffordd i'r pen draw. Yn aml mae Zonia'n ein diddanu efo sylwadau ar chwaeth pobl wrth ddewis blodau a cherrig beddau, ond 'dan ni'n ddistawach heddiw ac yn cerdded ar hyd ochr y fynwent gan bod 'na angladd a chriw bychan o deulu a ffrindia yn sefyll o amgylch bedd. Maen nhw'n fy atgoffa i o wigs duon Lucy yn rhesi yn ei llofft. I be mae neb isio cymaint o wigs duon, wn i ddim, ond maen nhw i gyd yn wahanol, medda hi.

Erbyn i ni gyrraedd y bedd 'dan ni'n hollol ddistaw. Lucy ydi'r un sy'n plygu i lawr ac yn tynnu'r hen flodau gwywedig o'r potyn. Hi ydi'r un sydd wedi cario potal o ddŵr efo hi am bod hynny'n llai o drafferth na cherdded i'r gornel bellaf at y tap. Mi ydw i a Zonia'n rhoi ein blodau ninnau iddi hi ac mae hi'n gosod y tri tusw yn y potyn efo'i gilydd, ac yna'n bwyllog yn symud blodau unigol fel bod rhosod gwyn Zonia a'i ffrisias gwynion hi a fy gysophila innau i gyd yn gymysg. Mae hi'n codi ar ei thraed i'w gweld nhw'n iawn, ac yn symud dau o'r rhosod fel bod posib darllen popeth sydd ar y garreg fedd.

Er cof am
Siwan Mair
1980 – 2017
Freedom's just another word
for nothing left to lose.

Wn i ddim a oedd hi o ddifri pan wnaeth hi ddweud mai dyna oedd hi isio ar ei charreg fedd, ond mi wnaeth y dair ohonan ni benderfynu ei fod o cystal â dim byd arall. Ac mi oedd hi'n ffan mawr o Janis Joplin. Cymaint felly nes ei bod hi wedi ystyried galw'i hun yn Janis pan wnaeth hi newid ei henw. Fi ydi'r unig un oedd yn nabod Siw adag honno; wedyn wnaeth y ddwy arall ei chyfarfod a Siwan Mair oedd hi erbyn hynny. Ond mi oeddwn i yna yn y dechra pan oedd hi'n ystyried gwahanol enwau.

'Dw i isio enw Cymraeg,' medda hi.

Ac mi ges i lyfr *Enwau Cymraeg i Fabis* neu rwbath felly o siop elusen. Mae'n rhaid deud enw'n uchel i wbod os ydi o'n iawn, ac mi oedd Siwan yn swnio'n iawn. Er, mi wnaeth 'na ryw gwsmer, rwbath o'r brifysgol, drio deud wrthi hi ei bod hi'n ei ddeud o'n anghywir.

'"Shŵan" ydi o medda'r Proff.'

'Be ddudist ti wrtho fo, Siw?'

'Mod i isio £20 arall os oedd o isio fy nalw i'n Shŵan! Ac mi dalodd!'

A dw i'n cofio Zonia'n gofyn iddi hi pam nath hi ddewis Mair fel ail enw, a finna'n aros am yr ateb oedd yn dod bob tro.

'Y *virgin* fwyaf enwog yn y byd, 'te!'

A Zonia'n lladd ei hun yn chwerthin a Lucy'n cyffwrdd y groes fach oedd ar gadwen aur o amgylch ei gwddw ac yn deud dim. Ta waeth, bob tro dw i'n darllen y geiriau ar y garreg fedd dw i'n teimlo balchder. Balchder bod ni'n tair wedi talu am y garreg yn un peth. Ac am y gwasanaeth a'r bwyd wedyn, er bod ni wedi gorfod benthyg pres gan Dave i neud hynny. Wnaeth o ddim codi llog am y benthyciad yna, ond mae o wedi'n rhybuddio y bysa hi'n ddrwg arnon ni tasan ni'n deud hynny wrth neb. A balchder hefyd bod ni wedi mynnu cael ein ffordd ein hunain.

Ond doedd o ddim yn brofiad braf. Nid ffraeo efo pobl 'dach chi isio neud ar ôl i ffrind farw, ac mi oedd o'n waeth i mi am fy mod i'n nabod ei rhieni hi. Er, doeddwn i heb eu gweld nhw ers ugain mlynedd. Doedd Siw heb eu gweld nhw chwaith, er ei bod hi'n anfon cerdyn a hamper anferth a blodau bob Nadolig. Ac yn derbyn dim yn ôl. Ond mi nethon ni benderfynu bod isio deud wrthyn nhw. Ac mi ddaethon nhw i'r golwg. Nhw a'u dagrau a'u 'Huw hyn a Huw llall' a'u 'Fo hyn a fo llall'. Falla 'san ni wedi gadael iddyn nhw gael eu ffordd eu hunain, gadael iddyn nhw fynd â'r corff a chladdu 'Huw', petaen nhw heb ddeud wrth Zonia nad oedd croeso iddi hi yn y cynhebrwng, nad oeddan nhw isio petha fatha fo yno. Gwenu wnaeth Zonia wrth gwrs, y wên 'na sydd wedi'i rhwystro hi rhag crio gymaint o weithiau.

'O, mi fydda i yno, Mrs Bowen,' meddai. 'Mi fydda i yno yn fy nillad gora,' a thynnodd y boa pluog pinc i lawr o gefn y drws a'i anwesu. 'Fi a fy holl gyfeillion.'

A dyna pryd y gwnaeth Mrs Bowen droi ar ei sawdl gan ddeud bod Huw wedi marw flynyddoedd yn ôl beth bynnag. Mi welis i'r poen yn llygaid ei gŵr ond doedd yna ddim byd y gallwn i wneud i'w helpu. Ac mi oedd hi'n iawn ar un ystyr, mi oedd Huw wedi marw flynyddoedd yn ôl. Carreg fedd Siwan Mair ydi'r darn yma o farmor gwyn, carreg fedd un o'r genod anwyla i mi ei hadnabod erioed.

A gwenu oeddwn i wrth wylio Lucy'n codi'r hen flodau oddi ar y llawr a'u rhoi mewn bag plastig i'w cario oddi yno i'r bin ailgylchu.

'Panad, genod?'

Y Gwir

Gwasanaethodd Albert Cashier fel milwr, un a anrhydeddwyd am ei ddewrder, yn ystod Rhyfel Cartref America, er iddo gael ei adnabod fel Jennie Hodgers yn blentyn. Anodd yw penderfynu ar sail y cofnodion a oedd Albert yn drawsrywiol neu'n drawswisgwr, neu ddim ond wedi dechrau twyllo am resymau mwy ymarferol a dal ati i wneud hynny ar ôl gadael y fyddin. Pan oedd mewn cryn oedran, a mwyaf tebyg â dementia, cafodd ei anfon i seilam lle y datgelwyd ei 'gyfrinach' a gorfodwyd ef i wisgo dillad merched. Ond pan fu farw, mynnodd ei gydfilwyr ei fod yn cael ei gladdu fel milwr ac mai Albert Cashier oedd yr enw ar ei garreg fedd.

Sawl math o fam sydd?

Roedd Gwen yn sicr ei bod hi'n gallu dweud oddi wrth gerddediad y postmon a oedd ganddo un ar gyfer rhywun yn eu stryd nhw yn ei fag. Fe fyddai hi'n ei weld yn dod i fyny'r stryd, Stryd y Pistyll, bob bore gan fod eu tŷ nhw yn un o ddau ar y pen uchaf oedd yn gwynebu i lawr y stryd, i lawr yr allt, a ffenest y gegin yn y blaen. Ac yn y boreau, yno y byddai Gwen yn golchi'r llestri brecwast pan fyddai'r postmon yn troi i mewn i Stryd y Pistyll. Allai hi ddim disgrifio wrth neb be oedd yn wahanol yn ei gerddediad ond bron yn ddi-ffael mi oedd hi'n iawn.

'Mae ganddo fo un heddiw,' fyddai hi'n ddweud wrthi hi ei hun, a'i holl gorff yn tynhau ychydig a'r brecwast yr oedd hi wedi'i fwynhau hanner awr cynt yn codi pwys arni hi. Yr unig beth na wyddai hi wrth gwrs oedd pa dŷ oedd yn mynd i dderbyn y llythyr, pa deulu a fyddai yn eu dagrau.

Roedd hi'n cofio'r bore y daeth y llythyr i dŷ Kate ac

Edmwnd. Y munud y gwelodd hi'r postmon fe wyddai fod 'na un o'r llythyrau hynny yn ei fag. Ei gerddediad fymryn yn araf neu fymryn yn drwm, neu efallai ei fod ychydig mwy gwargrwm nag arfer fel petai ei fag yn drymach. Neu efallai mai mwy syth a sionc nag arfer oedd o, fel petai'n esgus na wyddai be oedd cynnwys yr amlenni hirion gwyn ag arfbais y llywodraeth yn y gornel, neu'n esgus nad oedd o wedi sylwi bod un wedi cael ei rhoi yn ei fag y bore hwnnw yn y swyddfa ddosbarthu. Safodd yn y ffenest yn ei wylio a'i dwylo yn llonydd yn y dŵr. Roedd hi'n stryd hir, *cul de sac* gyda deg ar hugain o dai bob ochr iddi, ac yna eu tŷ nhw a thŷ Kate wedi'u gosod yn groes i'r lleill ar y pen uchaf, ac yn rhannu gardd ffrynt fechan. Gwyliodd y postmon yn gwthio llythyrau trwy ddrysau tai rhif 2 a 3 a 4, gan groesi'n ôl ac ymlaen i wneud. Patrwm igam-ogam felly roedd hwn yn ei wneud; roedd y postmon arall yn gweithio i fyny un ochr ac i lawr y llall. Gwyliodd o'n rhoi cnoc ar rif 12. Roedd dau fachgen ganddyn nhw i ffwrdd yn ymladd. Doedd hi ddim yn siŵr be deimlodd hi gyntaf – trueni trostynt neu ryddhad, rhyddhad nad iddi hi oedd y llythyr. Ond dim ond danfon rhyw barsel bychan oedd o. Mae'n rhaid bod y postmyn wedi cael cyfarwyddyd i beidio rhoi'r llythyrau yma trwy'r blwch llythyrau ond yn hytrach gnocio ar y drws a'u rhoi yn llaw rhywun. Tybed oeddan nhw wedi cael cyfarwyddyd be i'w wneud pe deuai plentyn at y drws, neu hen wraig ffwndrus? Tybed a oeddan nhw wedi cael cyfarwyddyd o gwbl? Neu efallai mai'r postmyn eu hunain oedd wedi penderfynu sut i weithredu? Ta waeth, roedd Gwen yn sicr bod ganddo lythyr yn ei fag yn dweud bod mab rhywun wedi cael ei ladd, ac mi oedd hi'n sicr y byddai'n rhoi cnoc ar ddrws y tŷ oedd i dderbyn y llythyr hwnnw.

Daliodd y postmon i gerdded i fyny'r allt tuag ati gan wthio llythyrau trwy'r drysau. Daliodd hithau i'w wylio. Wrth iddo ddod yn nes teimlai'n swp sâl. Roedd o wedi pasio tŷ y Parrys ac ar ôl hynny dim ond pum tŷ arall oedd yna â mab yn y rhyfel. Efallai ei bod wedi camgymeryd, efallai nad oedd ganddo lythyr a fyddai'n dechrau 'Fy nyletswydd drist yw eich hysbysu ...' ac yn gorffen efo rhyw falu cachu am wlad ac anrhydedd. Roedd hi'n gwybod sut lythyrau oeddan nhw; roedd hi wedi gweld tri ohonynt, rhai a anfonwyd at gymdogion neu aelodau o'i theulu, a phob tro roedd hi wedi dychmygu sut beth fyddai gweld enw Ifan ar lythyr felly.

Roedd y postmon wedi cyrraedd top y stryd a dim ond ei thŷ hi a thŷ Kate oedd ar ôl. Penderfynodd na fyddai'n agor y drws pe bai o'n cnocio ar ei drws hi. Efallai y byddai'n well iddi symud o'r ffenest o'r golwg. Ond allai hi ddim peidio ag edrych. Ac fe welodd y postmon yn tynnu un amlen wen hir o'i fag ac yn agor y giât fach oedd yn arwain at y ddau dŷ. Troi i'r chwith at dŷ Kate wnaeth o a rhoi cnoc ar y drws. A'r unig beth oedd yn mynd trwy feddwl Gwen oedd tybed pam eu bod nhw'n amlenni ychydig hirach ac ychydig gwynnach nag amlenni eraill, pam eu bod nhw mor hawdd i'w hadnabod?

Dim ond wedyn, ar ôl munud neu ddau, y daeth y meddyliau rhesymegol. Y rhyddhad llwyr fod Ifan yn fyw, neu o leia'n fyw ychydig ddyddiau'n ôl. Ac yn syndod o fuan wrth gwt hynny y poen a'r tristwch fod Dewi wedi marw. Dewi a oedd wedi dysgu reidio beic cyn Ifan er ei fod chwe mis yn iau, Dewi a oedd wedi dod â thusw mawr o flodau iddi hi pan dorrodd o baen yn eu tŷ gwydr nhw wrth chwarae pêl, Dewi oedd wrth ei fodd efo afalau ac yn casáu moron. A rŵan fe fyddai'n rhaid iddi hi brynu blodau i Dewi. Ac yna, wrth iddi feddwl am flodau ac eirch dychwelodd y rhyddhad nad ar gyfer Ifan y byddai eu hangen; dychwelodd y teimlad hwnnw gyda'r fath rym fel ei bod yn chwerthin yn uchel dros y gegin. Ac yna distewi fel pe bai rhywun wedi rhoi ei fys ar swits. Erbyn hynny mi oedd y postmon i lawr yn ôl bron yng ngwaelod y stryd. Efallai eu bod nhw'n cnocio ond doeddan nhw ddim yn aros i siarad.

Fe arhosodd Gwen am bron i awr cyn mynd drws nesaf at Kate. Aeth yno gyda dwsin o sgons yn dal yn gynnes o'r popty, fel petai hynny'n mynd i fod yn gysur o fath yn y byd i ddynas oedd newydd golli'i hunig fab. Efallai mai cysur i Gwen oedd pobi dau ddwsin o sgons a dewis y rhai gorau i Kate a chadw'r rhai oedd wedi cipio chydig iddi hi a Maldwyn a'r genod, cosb fechan fechan iddyn nhw i gyd am fod mor uffernol o lwcus. Roedd hi wedi gwneud hyn ormod o weithiau erbyn hyn. Wedi cario sgons i dai cymdogion a theulu a chyd-weithwyr a chyd-addolwyr gyda gwyneb prudd a geiriau call, tra'i bod hi, yr hi go iawn tu mewn, yn dawnsio a llafarganu a chwythu utgyrn – Nid Ifan! Nid Ifan! Nid Ifan! Ac fe wyddai Kate hynny.

'Roedd o i fod i ddod adref ar *leave* ddydd Mercher,' meddai Kate, fel pe bai hynny'n rhywbeth pwysig, fel petai Gwen ddim yn gwybod hynny. 'Mi oedd o mor hapus ei fod o ac Ifan yn cael bod adref yr un adeg.'

Ac fe ddaeth Ifan adref ddydd Mercher. Adref am wythnos. Hwn oedd y tro cyntaf iddo fod adref ers iddo fynd i ymladd, ac wrth gerdded gyda'i mab o'r orsaf sylweddolodd Gwen fod y dref bellach wedi'i rhannu'n ddwy: y rhai oedd wedi colli mab neu ŵr neu frawd yn y rhyfel a'r rhai nad oeddan nhw wedi colli neb o'u teulu. Ac er bod pawb yn dweud helô gan ddefnyddio'r un geiriau'n union, 'sa waeth i un criw fod wedi'u gwisgo mewn du a'r criw arall fod wedi'u gwisgo mewn gwyn, mor amlwg oedd y gwahaniaeth. Allai un garfan ddim dathlu'n llwyr efo'r llall, ac ni allai'r rhai nad oedd wedi colli neb gydymdeimlo'n llwyr efo'r gweddill. Oherwydd dim ond hyn a hyn o ddynion allai farw'n de, ac os oedd eu mab nhw wedi marw roedd hynny rhywsut, mewn rhyw ffordd wyrdroëdig, yn esbonio pam bod eich mab chi'n fyw.

Roedd Gwen a Kate wedi bwriadu gwneud cymaint o bethau gan fod y ddau'n mynd i fod adref yr un adeg. Ond rŵan y cwbl y gallai Ifan ei wneud oedd mynd drws nesaf a chofleidio Kate, a'i freichiau ifanc yn gwneud pethau'n well ac yn gwneud pethau'n waeth. Aeth Gwen ddim efo fo.

Ac mi oedd Ifan a Dewi wedi bwriadu gwneud pob

math o bethau hefyd. Rhyw gêm i lenwi llythyrau'r naill at y llall oedd hi. Os gawn ni *leave* 'run adeg mi wnawn ni... hyn a'r llall ac arall. Pleserau bychain oeddan nhw, ond mi oedd eu disgrifio mewn manylder yn gysur. Ac roedd yna hefyd fersiwn mwy o'r gêm. Pan 'dan ni adra go iawn a phopeth drosodd mi wnawn ni... Ond mi oedd rheini yn gynlluniau mwy. A doedd y gêm honno ddim cymaint o hwyl â'r llall a doeddan nhw ddim yn ei chwarae mor aml. Disgrifio un peint mewn manylder oedd yn eu helpu i gadw'u pwyll – pa dafarn, pa gwrw, pa fwrdd, pa gwmni, pa farmed. Dychmygu cael *leave* yn y gaeaf a gwneud dyn eira er bod y ddau ohonyn nhw bron yn ugain oed, a dwyn un o sgarffiau Gwen i'w roi o amgylch ei wddw. Yr un pinc hyll 'na. Dychmygu cael *leave* yn yr haf a mynd am dro i fyny'r llechweddau a hithau'r flwyddyn ora un erioed am lus. Ac fe fyddai Kate yn gwneud jam ac mi fyddai'r ddau, rhywsut, yn llwyddo i fynd â photyn bychan yn ôl efo nhw i'w rannu efo'u cyd-filwyr, ac ni fyddai'r potyn jam llus hwnnw byth yn mynd yn wag.

Bu gwasanaeth coffa i Dewi. Nid angladd. Mae'n rhaid cael corff i gael angladd ac o'r disgrifiad o'r hyn ddigwyddodd doedd yna ddim corff, ddim hyd yn oed yno yng nghanol y baw a'r tywod. Nid dyna oedd o'n ei ddweud yn y llythyr yn yr amlen wen hir, wrth gwrs. Roedd hwnnw'n sôn am gladdedigaeth a chofeb a pharch a phob math o bethau a fyddai'n creu delwedd o fynwent daclus. Ond mi oedd pytiau o straeon am yr ymosodiad yn cyrraedd Ifan o ffynonellau eraill.

'Gobeithio na wnaeth o ddim dioddef gormod,' meddai Kate wrtho.

Roedd hi'n tannu dillad ac Ifan yn chwynnu'r rhesi pys i'w fam. Hyd yn oed yng nghanol galar mae'n rhaid ymosod ar faw a chwyn.

'O be dw i wedi'i glywed, dw i reit sicr na wnaeth o,' atebodd Ifan. A meddwl ar yr un pryd bod hon yn sgwrs od i'w chael dros glawdd yr ardd ar brynhawn braf. Wnaeth o ddim edrych ar Kate, ond yn hytrach gwylio glöyn byw gwyn yn dawnsio uwchben y bresych.

Yn y gwasanaeth cyfeiriwyd at deulu Dewi fel arwyr, at Dewi ei hun fel merthyr, at y grym a chwalodd ei gorff yn ugain darn fel rhywbeth dieflig. Nid eu bod nhw wedi sôn am yr ugain darn, wrth gwrs. Sylwodd Gwen fod Kate wedi prynu siaced newydd. A fyddai hithau'n gwario ar siaced newydd petai hi yn sefyllfa Kate? Ystyriodd gynnwys ei wardrob, symudodd bob dilledyn ar hyd relan ei dychymyg, a phenderfynu y byddai honno brynodd hi ddwy flynedd yn ôl yn gwneud y tro'n iawn. Wrth i'r teulu adael o flaen pawb arall ar ddiwedd y gwasanaeth, pwysigion yn dilyn arch ddychmygol, sylwodd fod gan Kate esgidiau newydd hefyd. Roedd rheina wedi costio tipyn, a doeddan nhw ddim yn edrych yn gyfforddus iawn. Edrychodd Gwen ar Ifan wrth ei hochr, yn stiff ac yn welw. Hoffai pe gallai ddweud wrtho feddwl am ddillad, meddwl am de cynhebrwng, meddwl a oeddan nhw wedi rhoi'r gath allan cyn dod yma, meddwl am unrhyw beth heblaw Dewi.

Ond ni allai Ifan feddwl am ddim heblaw Dewi. Prin y

gallodd siarad efo'r teulu wrth i bawb eu cyfarch ar y ffordd allan. Nid Anti Kate oedd y ddynas yma, doedd hi ddim hyd yn oed yr un ddynas â'r un oedd yn tannu dillad y diwrnod cynt. Roedd hi'n rhywun o bwys, yn rhywun pell, yn rhywun gwahanol i'w fam. Fe fyddai'n rhywun gwahanol i'w fam am byth, cyn belled wrth gwrs nad oedd yntau hefyd yn cael ei ladd yn y rhyfel. Sawl math o fam sydd? Dau fath. Mam lwcus a mam anlwcus.

Gwyliodd Gwen ei mab yn llwytho'i blât â brechdanau ac yn rhoi siwgwr yn ei de.

'Ti ddim yn cymryd siwgwr yn dy de,' meddai.

Wnaeth Ifan ddim ei hateb, ac fe ddechreuodd Gwen amau tybed a oedd hi'n ffwndro. Efallai ei fod o wedi dechrau cymryd siwgwr yn ei de cyn iddo fynd i ffwrdd. Efallai ei fod o wedi cymryd siwgwr yn ei de erioed.

Roedd hi'n ddiwrnod braf, braf y diwrnod canlynol. Gorweddodd Ifan yn ei wely'n edrych ar yr awyr las. Ymhen deuddydd fe fyddai'n ôl lle roedd yr awyr yn rhy las, yn rhy ddigwmwl, a hynny bob dydd yn ddi-ffael. Gogoniant tywydd braf yng Nghymru oedd nad oedd posib dibynnu arno. Roedd bob tro yn rhodd annisgwyl ac yn rhywbeth na fyddai ond yn cael ei roi i ni am ychydig. Dyna pam roedd rheidrwydd i wneud y gorau ohono.

Un o syniadau Dewi oedd o. Gallai Ifan gofio'r llythyr yn disgrifio'r peth. Fe fyddai hi'n fore fel hyn, byddent yn pacio brechdanau caws a chydig siocled a chan neu ddau o gwrw. Fe fyddent yn cerdded i fyny'r llechwedd y tu ôl i'r tai, yn croesi Crib yr Esgyll ac yn mynd i lawr at Lyn Creigddu. Yno fe fyddent yn rhoi'r caniau cwrw i oeri yn y dŵr ac yn gorwedd yn yr haul a sgwrsio. Mi fyddent yn bwyta'u brechdanau a'u siocled a'u heirin gwlanog – roedd rheini wedi ymddangos yn y picnic erbyn hynny – ac yn mynd i nofio ac yn yfed eu cwrw. Diwrnod llawn o wneud dim a gwyrddni'r mwsog ac oerni'r dŵr a melyster y siocled i gyd wedi'u disgrifio. Dim byd chwyldroadol, dim ond nhw'u dau yn cael diwrnod i'r brenin ar lan y llyn.

'Awn ni, Dewi?' medda fo wrth y llofft wag.

Roedd Gwen yn falch ei fod am fynd am dro; roedd o wedi treulio gormod o amser yn stwna o gwmpas y tŷ. Nid dyna ddylai dyn ifanc adra ar *leave* ei wneud.

'Sgen ti gwmni?'

'Oes.'

Ond wnaeth hi ddim holi mwy.

'Hwda,' medda hi wrth iddo fynd trwy'r drws, 'mi wnes i brynu'r rhain ddoe.' A rhoddodd ddwy eiren wlanog yn ei fag.

Dringodd i fyny'r llwybr at Grib yr Esgyll ac eistedd yno am funud yn edrych i lawr tuag at y llyn. Nid hwn oedd y llyn agosaf i fynd i nofio ynddo – roedd yna byllau nofio da yn yr afon – ond hwn fu hoff le nofio Ifan a Dewi erioed. Roedd pawb – teuluoedd, plant bach, cŵn – yn mynd i'r pyllau yn yr afon, ond prin oedd y bobl oedd â'r mynedd a'r egni a'r amser i gerdded i Lyn Creigddu. A gallai weld o ben y grib nad oedd yna neb yno heddiw. Roedd hynny'n ei blesio.

Pan gyrhaeddodd y llyn, tynnodd y ddau gan cwrw o'i

fag a'u gosod i oeri yn y dŵr. Hyd yn oed ar ddiwrnod poeth fel hyn roedd hi'n syndod pa mor oer oedd dŵr y llyn. Yna gorweddodd ar ei hyd ar y borfa a cheisio peidio meddwl. Neu o leia ceisio cyfyngu ei feddwl i bethau dibwys. Ai cigfrain oedd y ddau aderyn du yna yn uchel uwch ei ben? Yna clywodd eu crawc unigryw, sŵn a oedd mewn rhyw ffordd od yn ei gysuro ac yn codi arswyd arno fo. Oedd o am fwyta gyntaf neu nofio gyntaf? Penderfynodd gyfaddawdu a bwytaodd un frechdan ac un eiren wlanog cyn tynnu ei esgidiau a'i sanau, ei drwsus a'i grys. Roedd yna graig, y Greigddu, yn ymestyn allan i'r llyn fel pier naturiol. Oddi ar honno roedd posib plymio i'r dŵr. Cofiodd Ifan y diwrnod y plymiodd Dewi ac yntau i'r llyn am y tro cyntaf a theimlo eu bod yn hogia mawr, a Gwen a Kate ar y lan yn yfed te o fflasg ac yn gweiddi hwrê. Falla'u bod nhw ddigon mawr i blymio i'r dŵr ond doeddan nhw ddim digon hen i ddod i fyny i'r llyn ar eu pen eu hunain. Ond doedd yna neb yn gwylio heddiw. Plymiodd i'r dŵr clir ac yna gwthio'i hun yn ei flaen a dechrau nofio tuag at y lan bellaf. Ar ôl ychydig gorffwysodd a throi ar ei gefn a gorwedd yno yn edrych ar yr awyr las. Prin oedd yna gwmwl erbyn hyn. Gwyliodd gigfran unig yn dychwelyd, heb ei chymar y tro hwn. Caeodd ei lygaid fel nad oedd dim byd yn bodoli heblaw oerni'r dŵr a gwres yr haul. A'i feddyliau. Ac oerni'r dŵr. A'r oerni'n gysur.

Dau gariad pymtheg oed gafodd hyd iddo fo. Y ddau, fel Ifan, wedi dringo yno er mwyn cael llonydd. Y bag a'r bwyd a'r dillad welson nhw gyntaf, ac yna'r caniau cwrw'n oeri yn y dŵr. Mi gerddodd y ddau ar hyd y graig oedd yn ymestyn allan i'r llyn, cerdded i'r pen pellaf. Plygodd y bachgen i lawr yn bwriadu tynnu ei esgidiau, a neidio pan roddodd ei gariad sgrech. Ac yno i'w weld yn eglur yn y dŵr clir roedd y corff.

Ac mi brynodd Gwen siaced ddu newydd. Mi oedd y llall yn rhy drwm, neu'n rhy gwta, neu'n rhy rwbath. Ac mi brynodd esgidiau newydd. Ac er eu bod yn gyfforddus mi oedd ei thraed hi'n brifo. A'i stumog, a'i chefn, a'i phen. Doedd hi ddim yn meddwl y bysa hi'n stopio brifo byth. Nac yn stopio holi er i'r cwest ddyfarnu mai marwolaeth trwy anffawd oedd hi. Ac ar ôl y cwest roedd popeth swyddogol drosodd. Doedd dim canllawiau ynglŷn â sut i ymddwyn wedyn.

Fe aeth Gwen a Kate efo'i gilydd i hel mwyar duon tua diwedd yr haf. Diwrnod tawel, pleserus a'r ddwy yn mynd am adref gyda phwysi o fwyar.

'Wyt ti'n teimlo'n euog weithia, Gwen?' holodd Kate. 'Ysti, ar ddiwrnod fel hyn, yn teimlo'n euog bod 'na funudau, dau neu dri munud weithia, wedi mynd heibio heb i ti feddwl amdano fo?'

Dim ond wrth y naill a'r llall y gallan nhw fod wedi cyfaddef hynny – cyfaddef mai munudau prin oedd yna pan nad oeddan nhw'n meddwl am yr hogia, er bod pawb yn credu eu bod nhw'n dygymod mor dda. A chyfaddef bod y munudau prin hynny yn bleserus tu hwnt i bob rheswm ac yna'n eu llenwi ag euogrwydd dirdynnol. A hyd yn oed flwyddyn wedyn, pan ddaeth y rhyfel i ben, doedd y munudau hynny ond wedi ymestyn i ryw hanner awr ar y mwyaf. A'r bechgyn iach, a hyd yn oed y bechgyn clwyfedig, oedd yn dychwelyd yn gwneud pethau'n waeth unwaith eto.

Gorfododd Gwen ei hun i fod yn siriol efo'r Parrys â'u mab wedi dod adra ac wedi mynd yn ôl i'w waith yn yr iard goed bron yn syth. Ond ar ôl sgwrsio am bum munud efo Mrs Parry aeth adra a chrio am awr, ac fe ffindiodd ryw esgus i beidio stopio i siarad y tro nesaf y gwelodd hi. Roedd siarad efo dieithriaid yn waeth. Gallai deimlo'i hun yn gwneud pob math o giamocs geiriol er mwyn osgoi trafod meibion. Doedd hi ddim isio gwbod am eu mab nhw a laddwyd yn amddiffyn ei wlad a doedd hi ddim isio gwbod am eu mab nhw a ddaeth adref ac oedd newydd ddyweddïo. Ond y cyfryngau oedd y gwaethaf, a'r papurau newydd, a phob darlith a phob pregeth. Cydymdeimlo a chlodfori a chynnal y rhai gollodd feibion, diolch iddynt am eu haberth ac yn y blaen ac yn y blaen. Ac wrth gwrs, doedd y rhai nad oeddan nhw wedi colli eu meibion ddim angen dim byd. Roedd y tronsiau budron ar lawr y llofft yn ddigon o wobr.

Ac mae'n siŵr mai dyna pam y dudodd hi'r celwydd. Ar y trên oedd hi a'r ddynas ddiarth gyferbyn yn tynnu sgwrs. Soniodd y wraig am ei phlant, dweud ei bod hi'n falch mai merched oedd ganddi, er iddi golli mab yng nghyfraith yn y rhyfel a bod hynny wedi bod yn anodd.

'A chitha?' medda hi wrth Gwen.

'Mi oedd o i fod i ddod adra'r pnawn hwnnw...'

Cododd Gwen ei hysgwyddau a gadael y frawddeg ar

ei chanol a'r gwir yn nofio yn y tir neb rhwng y ddwy sedd trên.

Y Gwir

Yn *Y Rhedegydd*, 23 Mehefin 1917, yng ngholofn newyddion Llan Ffestiniog, ceir hanes cwest ar gorff y Preifat Humphrey Price, Bron Goronwy, a gollodd ei fywyd wrth ymdrochi yn Llyn Dubach y Bont. Adref am ychydig ddyddiau o seibiant o'r fyddin oedd Humphrey, pan aeth i drafferthion wrth nofio gyda chyfaill yn Llyn Dubach y Bont, nid nepell o'i gartref, a boddi.

Root canal

Dw i wedi meddwl erioed y byddai pethau'n hollol wahanol petai'r gadair yn wahanol. Wedi'r cyfan, hyd at flynyddoedd cynnar y ddeunawfed ganrif pan benderfynodd y Ffrancwr Pierre Fauchard roi ei glaf i eistedd ar gadair am y tro cyntaf, y drefn oedd fod y creadur yn eistedd ar lawr ac yn gosod ei ben ar lin y deintydd. Dyna maen nhw'n ei ddweud o leiaf. Mi allai Fauchard fod wedi cynllunio rhywbeth tebyg i fwrdd tylino fel bod y claf yn gorwedd ar ei fol a'i geg yn agored uwchben twll a ninnau'n gweithio oddi tano, fel mecanic mewn garij os liciwch chi. Petai'r talcen a'r ên yn cael eu cynnal fe allai weithio'n reit dda, yn enwedig i dynnu dant, sef be oedd yn digwydd adeg honno. Ond dw i'n cyboli ac yn dyfalu – cadair sydd yn gosod y claf ar wastad ei gefn a ddatblygwyd. Sydd yn golygu mai'r deintydd sydd uchaf, sydd â'r llaw uchaf os mynnwch chi. Roedd y ddau gi acw'n chwarae cwffio bora 'ma. Pan fyddai'r bychan yn teimlo ei fod yn colli byddai'n troi ar ei gefn gan ddangos ei wddf diamddiffyn a thrwy hynny'n cydnabod mai'r llall oedd y mistar.

Chafodd y cŵn ddim mynd am dro bora 'ma. Roedd rhaid i mi ddod i'r gwaith yn gynnar ac roedd Defi'n mynd i'r brotest ynglŷn â'r caniatâd cynllunio. Y ddau ohonom wedi anghofio be oedd symudiadau'r llall a'r ddau ohonom yn meddwl mai ni oedd bwysicaf. Mi all Defi fod ddigon brwnt ei dafod pan mae pethau'n mynd o chwith felly.

'O leia dw i'n gwneud gwahaniaeth! Yn poeni am y dyfodol! O leia dw i'n meddwl am rwbath 'blaw cael fy nhalu'n dda am grafu chydig o *plaque*.'

Wnes i ddim ei ateb, dim ond gwisgo fy nghôt.

'Gwir yn brifo, yndi?'

Mi oedd hi'n rhyddhad cael bod yma, lle mae popeth yn lân ac yn drefnus ac yn dawel. Lle y gallwn hel meddyliau diniwed am Fauchard a'i gadair, ac am y ci mawr yn sefyll yn llonydd uwchben y ci bach. Mi ydan ni ddeintyddion yn y sefyllfa gorfforol yna bob dydd, y sefyllfa o fod yn sefyll uwchben un sydd yn gorwedd yn ddiamddiffyn ar wastad ei gefn. Peidiwch â meddwl nad ydan ni'n ymwybodol o hyn.

Mi ydan ni hefyd yn aml yn delio efo pobl ofnus a phobl sydd mewn poen a ninnau â'r gallu i ddod â'r poen hwnnw i ben. Neu ei wneud yn waeth. Ac yn olaf, mi ydan ni'n gallu siarad tra all y claf ar y gorau ond nodio.

Dw i ddim isio 'chi feddwl mod i'n cymryd mantais o'r sefyllfa hon yn aml. Prin iawn ydi'r achlysuron. Mi ydw i'n hynod barchus a phroffesiynol gyda'r mwyafrif llethol o fy nghwsmeriaid. Dw i'n eitha hoff o sawl un ohonyn nhw. Ac mi ydw i'n ddeintydd technegol da a chrefftus. Mi wnes i joban dda iawn o *root canal* Prys Stevens yn y diwedd.

Astudio'r lluniau pelydr X oeddwn i pan ddaeth o i mewn i'r ystafell.

'Steddwch,' medda fi, gan brin droi i edrych arno fo. 'Mi wna i jest cael un golwg arall ar rhain cyn cychwyn. I wneud yn siŵr mod i'n delio â'r dant iawn, yn de!'

Tydw i ddim yn arfer cellwair fel'na efo fy nghleifion. Mi fyddai'n hawdd iawn iddyn nhw gamddeall, a fyddai hynny ddim yn deg. Cododd Elen, fy nyrs, ei haeliau ond ddwedodd hi ddim byd.

'Mae'n bwysig bod popeth yn mynd yn y lle iawn, yn tydi,' medda fi a mynd trwy fy offer i gyd o fewn ei olwg. Fel arfer dw i'n gwneud pethau felly fymryn i un ochr fel nad ydyn nhw'n gweld yr un nodwydd na dril na gefail. Dw i'n ysytried yr holl arfau'n bethau tlws ond mi wn nad ydi pawb yn gwirioni'r un fath.

'Pigiad bach i ddechrau, fyddwch chi ddim yn teimlo dim byd wedyn. A dim ond rhyw fymryn o rwbath wrth i mi roi'r nodwydd i mewn yn y gym.'

Gwelais y Cynghorydd Stevens yn gwelwi. Dw i'n gwbod pa rai o fy nghwsmeriaid sy'n nerfus waeth pa mor dda maen nhw'n trio'i guddio. Fyddai hyn ddim wedi gweithio efo pob cynghorydd. Ond yn digwydd bod, Prys Stevens oedd un o'r rhai â mwyaf o ddylanwad ar y pwyllgor.

'Dim ond rhyw sgriffiad bach.'

Gwthiais yr hylif i mewn i'r cnawd. Hynny sy'n brifo wrth gwrs, nid y nodwydd yn torri'r croen. Mae 'na ffyrdd o wneud hyn sydd ychydig llai poenus ond wnes i ddim trafferthu gormod.

'Dyna chi. Gewch chi fynd i eistedd am chydig i hwnna gael gwneud ei waith. Amser i feddwl a synfyfyrio – go brin bo' chi'n cael llawer o hynny'n de.'

Cododd Prys o'r gadair a gadael yr ystafell heb ddweud gair. Yr eiliad y caeodd o'r drws ar ei ôl trodd Elen ata i.

'Be ti'n neud?'

'Neud? Dw i'n gwneud dim byd. Dim ond cael dyn yn barod i gael *root canal*.'

'Dylan!'

Mi ydw i ac Elen wedi gweithio efo'n gilydd trwy'r dydd, bob dydd, ers blynyddoedd bellach. Dw i'n treulio mwy o amser efo Elen nag efo fy nghymar. Petai gen i ddiddordeb mewn merched dw i'n siŵr y byddai Defi'n genfigennus o'n perthynas ni.

'Paid â phoeni,' medda fi. 'Jest gwna di dy waith fel arfer.'

Mi oeddwn i'n wên i gyd pan ddaeth Prys Stevens yn ôl i'r stafell.

'Dim ond i'ch atgoffa chi,' meddwn gan bwyntio at lun o ddant oedd ar wal yr ystafell, 'mi fydda i'n drilio yr holl ffordd i lawr fel hyn, ac yna'n dinistrio'r nerf trwy ...'

'Mi fyddai'n well gen i beidio gwybod, diolch 'chi,' medda fo ddigon swta.

'Fel liciwch chi.'

Dechreuais ar y gwaith, gan dynnu hen lenwad oedd yn y dant i ddechrau.

'Mi ro i funud o orffwys i chi o'r twrw 'na,' medda fi, 'cyn i mi ddechrau tyllu i lawr at y gwreiddyn ei hun.'

Ddwedodd Prys ddim byd ond gallwn deimlo ei gorff yn tynhau. 'Mae'n ddrwg gen i, mi wnawn ni siarad am rywbeth arall.'

Dechreuais grafu ychydig ar y dant efo erfyn llaw. Nid fod angen gwneud dim byd felly ddeud gwir, ond mi oedd o'n gadael i mi siarad heb sŵn y dril ac yn rhwystro Prys rhag dweud llawer o ddim.

'Mi eith yn bleidlais glòs dydd Iau 'ma, mae'n siŵr.'

Daeth rhyw sŵn aneglur o wddw'r cynghorydd. Daliodd Elen fy llygad a thynnais yr arf o'i geg am funud er mwyn iddi hi gael sugno'i boer. Yna dechreuais stwna'n ddianghenraid eto cyn iddo fo gael cyfle i siarad.

'Mi wnes i eich rhybuddio chi'n do? Os bydda i yn gweld mwy o bydriad nag ydw i'n ei ddisgwyl mi fydd yn amhosib i mi achub y dant.'

Taniais y dril a thyllu ychydig, cyn stopio eto.

'Os bydd y pydriad yn ddrwg mi wna i wneud yr *extraction* yn syth tra bod y pigiad lladd poen 'na yn dal yn eitha effeithiol. Iawn?'

Dechreuais ddrilio eto, ac yna stopio a mynd i edrych ar y lluniau pelydr X. Mi oeddwn i'n sugno fy nannedd ac yn edrych yn bryderus.

'Drian ni, drian ni'n gora. Gwarchod pethau sy'n bwysig. Dannedd a chymunedau, ynde?'

Nodiodd y Cynghorydd Stevens.

'A chofio'r pethau bychain, chwedl ein nawddsant. Hwn er enghraifft. EDTA. A hylif *hypochlorite* wrth gwrs. Petawn i'n anghofio golchi'r dant efo'r ddau yma beryg 'sach chi'n ôl yma wythnos nesa.'

Chwarddais fel petai o'n beth hollol amhosib i mi anghofio glanhau'r twll yn iawn. Ond doedd fy llygaid i ddim yn chwerthin wrth i mi edrych i fyw llygaid y dyn ar wastad ei gefn yn y gadair.

Drilio chydig. Distewi am funud.

'Sut wnewch chi bleidleisio ddydd Iau?'

Mi ddechreuodd y creadur ddweud rhywbeth ond roedd rhaid i mi dorri ar ei draws.

'Peidiwch â symud eich ceg os fedrwch chi. Ddim yn ystod y cam yma.'

Ceisiodd Prys Stevens siarad heb symud ei geg.

'Mae'n ddrwg gen i, ddyla mod i heb ofyn. Hollol amhroffesiynol. A dw i'n siŵr mai pleidleisio yn erbyn y cynnig wnewch chi'n de?'

Nodiodd y cynghorydd. Dim ond symud ei ben y mymryn lleiaf wnaeth o ond mi oedd o'n ddigon i mi.

'Dyna ni,' meddwn gan roi'r dril i orffwys. 'Mae'r gwaethaf drosodd rŵan.'

Mi oedd o'n dal yn wyn fel y galchen, creadur, a'i ddwylo'n gafael yn dynn, dynn ym mreichiau'r gadair.

'Peidiwch ag edrych mor boenus, ddyn. Ymddiried-aeth rhwng deintydd a'r dyn yn y gadair ydi'r peth pwysig.'

106

Pan gyrhaeddais i adref y peth cyntaf wnaeth Defi oedd ymddiheuro.

'Sori,' meddai. 'Dw i jest yn flin am nad ydw i'n meddwl bod ganddon ni obaith mul perswadio'r pwyllgor cynllunio 'na i ailfeddwl.'

'Dw i'n eithriadol o falch ohonat ti'n trio gwneud rhywbeth i newid pethau,' atebais, a'i gusanu'n ysgafn cyn gwisgo fy esgidiau cerdded a mynd â'r cŵn am dro.

Y Gwir

Awgrymir yn llyfr Garffild Lloyd Lewis, *Adref o Uffern*, bod deintydd o'r enw Auguste Charles Valadier wedi dwyn perswâd ar y Cadlywydd Haig, tra oedd hwnnw'n cael triniaeth ganddo yng nghadair y deintydd, i'w dderbyn i Gorfflu Meddygol Prydain, ac i gynyddu'r nifer o ddeintyddion oedd yn gofalu am y milwyr yn Ffrainc yn ystod y Rhyfel Byd Cyntaf.

Stori'r cysodydd

Wnes i rioed fwynhau cysodi ffurflenni. Mae 'na waith meddwl a ffidlan i gael petha'n iawn, ond rhywsut tydi'r pleser esthetig sydd i'w gael o gysodi llyfr ddim yna. Wnes i rioed edrych ar ffurflen fel roedd hi'n llifo oddi ar y peiriannau a theimlo balchder. Ddim fel y gwaith dw i'n ei wneud rŵan. Ddim hyd yn oed fel llyfr neu bamffledyn bychan o gerddi. Adeg honno mae siâp y du ar y gwyn, neu'r du ar yr hufen, yn dlws ynddo'i hun. Tydi pob bardd ac awdur ddim yn gwerthfawrogi fy nghrefft, ond tydi o ddim ots gen i. Nid iddyn nhw dw i'n ei wneud o. Ei wneud o er mwyn y darllenwyr ydw i. Nhw sy'n edrych ar fy ngwaith. Nhw sy'n elwa o'r ffaith fy mod i'n dda am wneud fy ngwaith. Mae papur newydd yn rhoi mwy o bleser i mi na ffurflen. Wrth edrych ar bapur newydd mae'r ffaith bod y ffont y ffont iawn, bod lled y colofnau a lled y marjins yn iawn, bod y *leading* yn iawn, bod popeth yn iawn, yn fy ngwneud i'n hapus. Tydi'r pleser yna ddim i'w gael mewn ffurflen. Ddim i mi. Ddim i neb mwyaf tebyg, ond yn sicr doeddwn i ddim yn cael llawer o foddhad o gysodi ffurflen.

Ond gwasg sy'n argraffu tipyn o bopeth oedd hi. A fi gafodd y gwaith o gysodi'r ffurflen.

'Chydig bach o frys efo hon,' medda Paul. 'Mi fysan nhw'n licio hi erbyn bora fory.'

Mi oedd hi bron yn bedwar o'r gloch, a wnes i ddim ateb.

'Fysat ti'n licio chydig o oria ychwanegol?'

Petrusais. Mi oeddwn i wedi gaddo bod adref mewn pryd i ddweud stori. Adeg honno mi oedd y genod yn dal yn ddigon bach i fod isio stori cyn mynd i'w gwlâu. Ac mi oeddwn i'n credu bod straeon yn bwysig. Ac eto, pres. Arian. Biliau. Gorddrafft a dyledion. Pres.

'Mi arhosa i tan saith,' meddwn i.

Tynnodd Paul go bach o boced ei jîns, y boced fach 'na ar y blaen nad oes neb yn gwbod yn iawn i be mae hi'n dda. Roedd fy nghariad cyntaf yn cadw goriad ei dŷ ynddi hi, roedd 'na un arall yn cadw condom yna. Doeddwn i heb dderbyn gwaith ar go bach ers blynyddoedd; trwy e-bost fyddai popeth yn dod erbyn hynny, neu ryw system rannu ffeiliau.

'Dow,' meddwn i, gan wthio'r co bach i'r twll USB.

'A chyfarwyddiadau ychwanegol,' meddai Paul gan dynnu darn o bapur o boced gefn ei jîns. Darn o bapur efo llawysgrifen arno, ac mi oedd o'n edrych yn anghydnaws iawn â fy nesg â'i gwyneb plastig, gwyrdd golau llachar, perffaith wag. Mi oeddwn i'n gwbod bod fy nesg yn ymhonnus a ninnau ddim ond yn gwmni bach mewn tref fechan, ond fi oedd bia hi, wedi talu'n ddrud amdani, ac fe fyddai hi'n dod efo fi pan fyddwn i'n mynd o 'na i rywle gwell.

'Darllan o,' meddai Paul.

Ac mi wnes i ei ddarllen o.

'Wnei di ei gofio fo?'

'Gwnaf,' meddwn i. Cyfarwyddiadau technegol oeddan nhw a ddim yn arbennig o gymhleth.

Rhoddodd Paul y papur yn ôl yn ei boced a throi oddi wrtha i. Yna trodd yn ôl.

'A gweithio ar y co bach, yn de. Dw i ddim isio hwn ar y system.'

Difarais na fyswn i wedi gofyn am dâl dwbl am y job. Ond i fod yn deg, doedd hi ddim yn joban gymhleth ac mi oeddwn i wedi dod i ben â hi toc cyn chwech.

Ymddangosodd Paul wrth fy ysgwydd.

'Ti 'di gorffan?'

Petrusais. Mi oeddwn i isio'r oriau tan saith ac fe sylweddolodd yntau hynny.

'Mi gei di dy dalu tan saith. Ond os ti wedi gorffen ac yn saff ei fod o'n iawn, mi gymra i o oddi arnat ti.'

Darllenodd y ddau ohonom trwy'r geiriau ar y sgrin. Ond doedd 'na ddim gwall. Mi oeddwn i'n un dda wrth fy ngwaith hyd yn oed adeg honno. Dyna pam yr oeddwn i'n ffyddiog y byddwn i a'r ddesg werdd yn symud yn fy mlaen yn fuan. Symud i rywle lle na fyddai rhaid i mi wneud ffurflenni.

'Ok,' medda Paul.

Cadw. Clic. Gollwng y co bach o afael y peiriant. Clic. Ac yna'i basio i Paul. Gwthiodd yntau o yn ôl i'r boced fechan yn ei jîns. O boced arall tynnodd arian sychion i dalu i mi am yr oriau ychwanegol.

'Rhyw daflenni priodas oedd eu hangen ar frys oeddan nhw'n de,' meddai Paul, ac fe nodiais innau. Doedd o ddim ots gen i be oedd o'n neud. 'Sa fo'n cael argraffu beth bynnag licia fo o'm rhan i. Fo oedd bia'r wasg. Ac er nad ymddangosodd enw'i wasg ar y ffurflenni dw i'n eithaf sicr mai ei beiriannau o a'u hargraffodd, ac yn eithaf sicr mai ei arian o'i hun o boced ei jîns a dalodd i'r gweithwyr fu wrthi'n hwyr yn dandwn y peiriannau ac yn pacio'r bocsys.

Tydi enw'r un wasg yn ymddangos ar fy ngwaith y dyddiau hyn chwaith. Dim ond fy enw i. Maen nhw'n deud mai fi ydi'r cysodydd cyntaf i gael arddangosfa o'i gwaith yn Oriel Artevistas. Fe ddaeth Paul i'r noson agoriadol. Mae o'n hen ŵr erbyn hyn, yn cerdded efo ffon, ond yn dal i wisgo jîns hyd yn oed i noson agoriadol fel hon lle mae'r gwin am ddim yn win da, yn win da iawn ddeud gwir. Roeddwn i'n aros amdano wrth y drws a chefais bleser o weld ei wyneb wrth iddo edrych ar y darnau mawr oedd yn ei wynebu wrth iddo ddod i mewn. Cerddais ato, ysgwyd ei law a chusanu ei foch.

'Dowch efo fi,' meddwn i, 'mae gen i rwbath i'w ddangos i chi.'

Arweiniais ef i'r chwith, i'r darn o'r arddangosfa y byddai'r rhan fwyaf o bobl yn ei gyrraedd olaf. Yno, mewn ffrâm felen syml, ac ehangder wal wen gyfan iddi hi ei hun, roedd ffurflen fechan a chroes yn un o'r blychau.

Y Gwir

Adeg ysgrifennu'r stori hon roedd adroddiadau'n ymddangos bod awdurdodau gwladwriaeth Sbaen yn archwilio gweisg yng Nghatalonia gan chwilio am y ffurflenni fyddai'n cael eu defnyddio yn y refferendwm annibyniaeth.

Magu'r baban

Mi oedd hi wedi bwriadu gorffen ei doethuriaeth cyn i ti gael dy eni, a bron iawn iddi hi lwyddo. Petaet ti heb gyrraedd ychydig yn gynnar efallai y byddai hi wedi llwyddo. Efallai y byddai pethau wedi bod yn wahanol. Er gwell neu er gwaeth. Ond bu rhaid iddi hi ofyn am estyniad. Mi allai hi fod wedi gohirio am flwyddyn ond wrth gwrs, wnaeth hi ddim gwneud hynny.

'Maen nhw wedi rhoi chwech wythnos i mi.'

'Dim ond chwech wythnos?'

'Wnes i ond gofyn am fis. Nhw wnaeth fy mherswadio i dderbyn chwech wythnos.'

Edrychodd y ddau ohonom arnat ti'n cysgu yn dy grud bach gwiail, anrheg gan dy nain, mam dy fam. Welodd dy nain arall 'mohonat ti. Roedd y llall wedi cyrraedd efo'r crud a llwyth o bethau eraill y diwrnod cynt, oriau ar ôl i ti a dy fam ddod adref o'r ysbyty. Ac yna wedi diflannu a'i sodlau'n clecian a'r cwmwl persawr yn aros am ychydig efo'r holl anrhegion.

'Tydyn nhw ddim isio llawer o ofal oed yma,' meddai Mari gan ailddechrau chwilio am lyfr ymysg y cannoedd oedd ar ei silffoedd. Fe gafodd hyd iddo a gafael yn ei gliniadur a llyfr nodiadau cyn troi ata i.

'Mae o newydd gael ei fwydo. Dw i wedi godro fy hun ac mae 'na ddwy botal arall yn y ffrij. Gei di ddod â fo ata i i gael sugno yn y bora os oes raid.'

Ac yna fe ddiflannodd i'w swyddfa. Dw i'n cofio ei bod hi'n cerdded yn arafach nag arfer oherwydd y pwythau. Roedd 'na soffa gyfforddus yn y swyddfa hefyd ac mi oeddwn i'n gwybod mai cysgu ar honno fyddai hi. Dim ond am ychydig oriau y byddai hi'n cysgu, fel arall fe fyddai'n gweithio trwy'r nos. Yna cysgu ychydig oriau a gweithio fwy neu lai trwy'r dydd wedyn. Dyna oedd y patrwm cyn i ti gael dy eni hefyd, dw i'n credu; dyna roedd hi'n ei honni beth bynnag.

Mi wnes i symud i fyw dros dro atat ti a dy fam. Efallai fod yna damaid ohona i'n gobeithio mai felly y byddai hi o hynny ymlaen, er, fyswn i heb gyfaddef hynny wrth neb, ddim hyd yn oed wrtha i fy hun. Mi wnes i ddweud wrth ambell i ddieithryn, y math o bobl sy'n stopio i siarad efo tadau ifanc a babis er nad ydyn nhw'n eu nabod, fy mod i ar gyfnod tadolaeth ond y gwir ydi mai rhwng dau gytundeb oeddwn i, ac i fod yn onest doedd gen i ddim syniad a fyddai yna ail gytundeb byth.

Mae'n syndod faint dw i'n gofio o'r noson gyntaf 'na. Mi wnest ti gysgu am bron i deirawr. Mi wnes i olchi llestri a gwylio'r rhan fwyaf o ffilm – *The Italian Job*, efo Michael Caine, ffilm nad oeddwn i am ryw reswm wedi'i gwylio o'r blaen. Ac yna mi wnest ti ddeffro. Gan nad oeddat ti'n crio mi wnes i roi clwt glân i ti gyntaf ac yna cynhesu'r llefrith. A thra oedd y llefrith yn cynhesu mi oeddat ti'n gorwedd yn fodlon yn fy mreichia yn edrych ar y byd ac yn trio gwneud synnwyr ohono.

'Does 'na ddim posib gwneud synnwyr ohono fo, was,' medda fi, ac wrth gwrs, mi oeddat ti'n dallt ac yn dadlau nad trio gwneud synnwyr o bethau oeddat ti, dim ond edrych arnyn nhw er mwyn iddyn nhw fodoli. Neu rwbath felly. Ond mi oedd y llefrith wedi cynhesu, felly mi ddaeth y sgwrs i ben ac mi wnest ti sugno llond potel o lefrith a syrthio i gysgu. Yn ofalus, ac yn gyndyn, dw i'n ama, mi wnes i dy osod yn ôl yn y crud bach gwiail a dychwelyd at y teledu mewn pryd i weld y bws yn siglo yn ôl ac ymlaen ar ochr y dibyn. Roeddwn i'n teimlo bod hyn reit hawdd ac efallai fod Mari'n iawn ac nad oedd angen llawer o ofal ar fabis bach.

Awr wedyn mi oeddat ti'n effro, ac yn crio, ac yn dal ati i grio er gwaethaf clwt glân nad oedd ei angen ddeud gwir a chydig mwy o lefrith nad oeddat ti wirioneddol ei isio. Mi oeddat ti'n effro am ddwy awr – ar adegau'n crio go iawn, adegau eraill dim ond yn grwgnach. Mi gerddais i yn ôl ac ymlaen a hanner gwylio ffilm arall ar ei hyd, er tydw i ddim yn cofio be oedd honno. O'r diwedd fe est yn ôl i gysgu a chysgu am ychydig oria. Mi gysgais inna. Pan wnes i ddeffro roedd dy fam yn dy fwydo, ond unwaith yr oeddat ti wedi cael llond dy fol fe aeth yn ôl i'w swyddfa at ei thraethawd a fy ngadael i i dy newid a dy suo i gysgu. A dyna fu'r patrwm. Ar ôl wythnos fe brynwyd llefrith powdr, Cow and Gate, a bu rhaid i mi ddysgu sut i lanhau poteli. Dim ond unwaith y dydd roedd Mari'n dy fwydo wedyn. Ond mi wnest ti dderbyn y newid a dal i dyfu. A sylwi mwy a mwy ar y byd a sgwrsio mwy a mwy efo fi. Neu efallai mai fi oedd yn sgwrsio efo chdi. Mae'n anodd cofio, mae ugain mlynedd yn amser hir.

Mi nethon ni wasgu lot i mewn i'r chwech wythnos yna, 'sti. Lot o grio a lot o gachu, a lot o ganu a gwylio hen ffilmiau cowbois ganol nos. Hyd yn oed pan oeddat ti'n cysgu mi oeddwn i'n cwffio yn erbyn Huwcyn Cwsg fy hun er mwyn cael eistedd wrth ochr y crud bach gwiail yn edrych arnat ti. Mi oeddwn i'n rhoi fy mys ryw chwarter modfedd o flaen dy drwyn er mwyn cael teimlo dy anadl. Neu yn gosod fy llaw yn ysgafn ar dy gefn er mwyn cael teimlo'r symudiad bach, bach oedd yn profi bod dy ysgyfaint yn gweithio. Efallai fy mod i wedi gwneud hyn i gyd oherwydd mod i'n ama be oedd yn mynd i ddigwydd. Nid bod neb wedi trafod dim byd, wrth gwrs.

Ar ôl i ti gael dy eni mi wnaeth Mari ofyn i mi,

'Ti ddim yn gweithio rŵan, nag wyt? Fedri di edrych ar ei ôl o nes mod i wedi gorffen y radd 'ma?'

Mi wnes inna esbonio ei bod hi braidd yn bell i mi deithio'n ôl a 'mlaen bob dydd a finna heb gar. Dychmygu dy wthio mewn pram rownd y parc am chydig oria oeddwn i ddeud gwir ac yna dy roi'n ôl i dy fam.

'Gei di aros. Yn y llofft gefn.'

Roedd o'n amlwg yn rhywbeth yr oedd hi'n gorfodi'i hun i'w ddweud, ond mi wnes i gyd-weld. Fel y dudodd hi, doedd gen i ddim byd gwell i'w wneud. Ac mi oedd hynny'n wir.

Ac yna mi orffennodd sgwennu'r traethawd a'i gyflwyno. Doedd hi heb fod yn trafod y gwaith efo fi. Go brin ein bod ni'n siarad ddeud gwir, er ein bod ni'n byw yn yr un tŷ. Y cwbl ddigwyddodd oedd ei bod hi wedi gadael y tŷ un bore a dychwelyd ar ôl cinio.

'Dyna fo, mae hwnna wedi'i gyflwyno – gei di fynd adra rŵan.'

Wnes i ddim dweud dim byd, dim ond edrych arni, a'r *babygrow* melyn a gwyrdd 'na yn llipa yn fy llaw ar ei ffordd o'r fasged i'r cwpwrdd.

'Sori,' medda hi. 'Diolch yn fawr am dy help – mae o wedi bod yn amhrisiadwy.'

A chyn i mi ddweud dim byd, nac iddi hithau ddweud dim byd arall, mi wnest ti ddeffro a dechrau crio. Rhoddais y *babygrow* yn y cwpwrdd a chamu i gyfeiriad dy grud. Ond mi oedd Mari yno o fy mlaen.

'Mae 'na botal...' dechreuais. Ond mi oedd Mari'n agor botymau ei chrys ac yn setlo ei hun ar y soffa.

'Dw i'n siŵr y daw fy llefrith yn ôl gan mod i wedi dal ati i roi un ffid iddo fo.'

Yn y dechrau mi oeddwn i'n galw'n aml, ond doedd yna byth fawr o groeso, ac yn aml iawn doedd yna neb adra. Mi ddyla mod i wedi mynd i weld twrna, wedi mynnu fy hawliau, sicrhau dy fod yn treulio hanner dy amser efo fi. Ond doedd yna ddim llawer o neb yn gwneud ffasiwn bethau adeg honno. A hyd yn oed petai rhai pobl yn gwneud, dw i'n ama mai fy natur i fyddai trio gwneud pethau trwy deg – dod i ryw gyfaddawd, gobeithio ei bod hi'n hollol amlwg fod cyswllt rhwng y chdi a fi'n beth da, ei bod o fantais i bob plentyn gael dau riant yn ei fywyd. Ac yna mi oedd y diwrnod hwnnw pan wnes i roi cnoc ar y drws a neb yn ateb. Mae'r swn pan ti'n curo ar ddrws tŷ gwag yn wahanol, 'sti; tydi'r twrw ddim yn cael ei sugno gan ddodrefn a llenni a llyfrau – does ganddo ddim byd i'w wneud ond atsain o gwmpas yn chwilio am glustiau. Nid mod i wedi sylweddoli hyn yn ymwybodol, ond fe wnaeth 'na rywbeth wneud i mi gamu i'r ardd gyda'r bwriad o sbecian trwy'r ffenest. A chyn i mi wneud hynny hyd yn oed, mi wnes i weld nad oedd yna lenni ar y ffenest. Roedd honna oedd yn byw yn y tŷ pen yn sefyll ar ben drws yn cael smôc.

'Maen nhw wedi mynd,' medda hi.

'I lle?'

'Dim syniad, del. Snoban ddim yn deud lot wrth neb.'

A dyna ddiwedd y stori i ddeud y gwir. Falla'i bod hi'n anodd i ti ddychmygu pa mor hawdd oedd hi i bobl yn y byd cyn Facebook ddiflannu. Pa mor hawdd oedd colli cysylltiad efo unrhyw un, heb sôn am bobl oedd yn trio dy osgoi. I fod yn deg, wn i ddim a oedd hi'n trio fy osgoi, neu dim ond yn cario 'mlaen efo'i bywyd heb fy ystyried i. Nid bod hynny'n gwneud rhyw lawer o wahaniaeth i chdi a fi, nag ydi? Fe fydd rhaid i ni fagu perthynas a ninnau'n cyfarfod fel dau oedolyn. Pryd bynnag y bydd hynny.

Y Gwir

Mae yna lun mewn llyfr oriau o'r bym-thegfed ganrif sydd yn darlunio Joseff yn magu'r baban Iesu a Mair yn ei gwely'n darllen. Daw o Besançon ym Mwrgwyn yn Ffrainc, yn Burgundy, ond mae bellach yn cael ei gadw yn Amgueddfa Fitzwilliam yng Nghaer-grawnt.

Dianc

Anaml 'dan ni'n sôn am y peth ers 'dan ni yma. Wedi'r cyfan, mae o bron i ddeg mlynedd ar hugain yn ôl erbyn hyn. Ac eto, ac yntau'n gwaelu, dw i'n meddwl mwy a mwy am y diwrnod hwnnw. Anodd ydi credu y byddai'r hen gwpwl sy'n cerdded adref o'r offeren yn bwyllog, bwyllog wedi bod mor angerddol, mor ddewr, mor fentrus. Dw i'n aros ennyd ac yn mwytho un o gathod y stryd, ond aros iddo fo gael ei wynt ato ydw i mewn gwirionedd. A dyna fi'n ei neud o eto – yn twyllo a deud celwydd oherwydd mod i'n ei garu o. Mae yntau'n aros a mwytho'r gath. Roedd yna gath yn y carchar, un goch, fel hon.

'Wyt ti'n cofio'r gath yn y carchar? 'Run lliw â hon, yn doedd?'

Mae o'n ysgwyd ei ben. 'Un frech oedd honno.'

A phwy ydw i i ddadlau? Y fo oedd yno, wedi'i gau mewn cell, a phob deiseb yn da i ddim. Piso yn erbyn y gwynt ydi deisebau, waeth faint o enwau sydd arnynt.

Tydyn nhw ond yn rhywbeth sy'n gwneud i'r rhai sy'n eu trefnu a'u harwyddo deimlo'n well; neu'n cael eu defnyddio fel cyfiawnhad gan y rhai mewn grym pan maen nhw wedi penderfynu newid eu meddyliau beth bynnag. Ond mi wnes i gasglu enwau, enwau pobl bwysig a phobl gyffredin, a chyflwyno deiseb. Ymbil a phlygu glin a mynnu rhyw ychydig bach o sylw cyhoeddus. Beryg na wnaethon nhw ddim mwy na chynnau tân neu sychu'u tinau efo'r papur, neu ei roi fesul pump enw ar hugain ar waelod cawell rhyw dderyn dof. Ac yna mi oedd hi'n rhy hwyr. Roedd yna ddyddiad ar gyfer y dienyddio, a tydi pedair awr ar hugain ddim yn hir.

Efallai eich bod chi wedi clywed y stori, er, mae'n syndod pa mor sydyn mae stori fawr sy'n llenwi'r newyddion yn pylu'n ddim ac yn mynd yn angof. Ac mae'n siŵr ei bod hi'n stori dda, yntydi? Petai hi'n ddrama lwyfan fe fyddai posib gwneud i'r gynulleidfa chwerthin – pobl yn mynd i mewn ac allan o ystafell fel bod pawb wedi ffwndro a neb yn gwybod pwy oedd yn lle, tynnu dillad a gwisgo dillad, rhoi colur a cherdded yn ddigri, a dyn wedi'i wisgo fel dynas. Ond doedd o ddim yn ddoniol, does yna ddim byd yn ddoniol pan 'dach chi mor agos â hynna at farwolaeth. Mi oedd hi'n ddyddiau wedyn, a ninnau gannoedd o filltiroedd oddi wrth y carchar, cyn i'r holl densiwn droi'n chwerthin hollol ddireolaeth, ac i'r chwerthin hwnnw droi'n ddagrau wedyn.

'Beth petai ...?' ddudodd o rhwng y dagrau.

A finnau'n gafael yn ei law yn dynn i brofi nad oedd angen i ni bellach boeni am y beth petai. Roedd o'n rhydd. Ac mi oeddan ni'n ddigon pell. Ac yma 'dan ni wedi bod er y diwrnod hwnnw, yn addoli ac yn yfed gwin ac yn heneiddio. Yma 'dan ni wedi bod yn magu plant ac yn dandwn wyrion.

Mae o'n codi'r gath goch yn ei freichiau.

'Gawn ni fynd â hi efo ni, Wini?'

Dw i'n ysgwyd fy mhen.

'Plis? Tydi hi ddim yn licio'n y carchar 'ma chwaith. Mi fedra i ei chuddio hi o dan fy sgert.'

Ac mae o'n edrych i lawr a sylweddoli nad ydi o'n gwisgo sgert. A does 'na ddim byd ond ofn yn ei wyneb.

'Mi ddo i â'r sgert fory. Mi gei di a'r gath ddianc fory.'

Mae o'n gwenu ac yn bodloni i ollwng y gath a cherdded adref efo fi.

Pyliau mae o'n gael. Ar adegau eraill mae ei feddwl yn glir – efallai'n wir mai fo oedd yn iawn ac mai cath frech oedd yn y carchar, ac mi oedd yn trafod yn gall a dwys gyda'r offeiriad bore 'ma. Ond yn amlach ac yn amlach ac yn amlach mae o'n llithro'n ôl yno. Mae'n rhaid ei fod o'n teimlo gwres yr haul ar ei wyneb fel finnau ac yn gweld y tonnau ar y môr ac yn clywed sgwrs y bobl ar y strydoedd, ond mae rhan ohono fo am ychydig funudau, weithiau am oriau, mewn cell oer a neb yno ond fo a fi a'r unig beth y gall o'i weld yw'r grocbren yn y cowt. Ac ar yr adegau hynny mae'n rhaid i minnau chwarae'r gêm a'i sicrhau y bydda i'n dod yn ôl yfory gyda sgert a chlogyn a chudyn o wallt golau i'w osod ar ymyl cwfl y clogyn.

Pan mae'r plant yma maen nhw'n gwylltio. Efallai nad ydi o'n ddrwg o beth nad oes yr un ohonynt yn byw'n agos iawn. Mae'r wyrion yn dygymod yn well.

'Taid isio sgert eto.'

Mi wnawn nhw roi clogyn merch iddo a gwisgo clogyn arall eu hunain, a chydgerdded efo fo fraich ym mraich o'r tŷ i'r ardd sawl gwaith hyd nes ei fod yn derbyn ei fod yn rhydd. Ac yna fo ydi o eto am sbel, ar goll yn ei lyfrau neu yn sgwrsio'n gall wrth fwyta'i swper. Mae o wedi dechrau ysgrifennu am oriau bob dydd. Wn i ddim be mae o'n ei ysgrifennu – tydw i heb ofyn a tydi o heb ei ddangos i mi. Ond mae yna ddalen ar ôl dalen yn cael ei llenwi, a'i lawysgrifen fân oedd yn arfer bod mor dwt yn draed brain ar hyd y papur.

Dirywio wneith o, medd y meddyg, a does yna ddim y gellir ei wneud i atal yr aflwydd. Does yna ddim cyffuriau – dim tabledi, dim ffisig, dim eli, dim byd.

Ar ôl i ni ddychwelyd o'r offeren bore 'ma mi eisteddodd y ddau ohonom allan yn yr haul ac yfed te, ac am ychydig roedd yn hollol glir ei feddwl.

'Ti'n gwbod be, Wini? Weithia dw i'n meddwl mod i'n ôl yna.'

'Wn i,' meddwn.

'A ti'n gwbod be sgen i ofn? Mae gen i ofn na wnei di ddod i fy nôl i dro 'ma.'

Mi wnes i ei sicrhau y byswn i'n dod, y byswn i'n dod

efo sgert a chlogyn, y byswn i, unwaith eto, yn rhoi pres cwrw i geidwaid y carchar.

'Dw i'n niwsans, tydw, Wini? Ac mae'n rhaid i mi drio cerdded fel merch, yn does?'

Edrychodd arna i'n eistedd gyferbyn â fo.

'Dim ond y chdi sy 'ma? Mae angen o leia un arall er mwyn i mi gael cerdded yn y canol fel bod neb yn sylwi arna i.'

'Fe fyddan nhw yma'n munud. Paid â phoeni.'

Ac yna fe basiodd y pwl a doedd o'n ddim byd ond hen ŵr musgrell yn sipian te a oedd wedi oeri. Mi godais innau a mynd i wneud te ffres a dychwelyd at y bwrdd gyda phlât o fisgedi, â gwên ar fy ngwyneb.

Nid dim ond cael y dillad merched i mewn i'r carchar fu rhaid i mi ei wneud i sicrhau ei ddiogelwch, wrth gwrs. Roedd y siwrna i lawr i'r ddinas o'n cartref yn dipyn o antur gan ei bod hi wedi bwrw eira'n drwm ers dyddiau. Doedd yna neb call yn teithio ar y ffyrdd a phawb yn dweud wrthan ni am aros adref, ond mi wnes i a fy ffrind ddal ati a'r lluwchfeydd yn uchel bob ochr i ni a'r llwybr cul rhyngddynt yn rhewllyd ac yn beryg bywyd. Ac ar ôl iddo fo adael y carchar efo fy ffrind mi wnes i ogor-droi yn esgus siarad efo fo fel petai o'n dal yna, cyn gadael y gell erchyll 'na. Mi wnes i hyd yn oed sgwrsio efo un o'r ceidwaid am ychydig fel petai gen i ddim brys yn y byd, er fy mod i'n crynu ag ofn. Ond mae'n siŵr bod sawl gwraig i ddyn wedi'i gondemnio yn crynu ac yn edrych yn swp sâl. Ac yna roedd rhaid ei guddio yn y ddinas am ddyddiau tra oeddwn i'n sicrhau'r arian - mi oeddwn i wedi crafu pob ceiniog y gallwn i gan bawb. Wedyn mynd trwy'r porthladd gydag enwau ffug a mynd ar y cwch. Trwy hyn i gyd y fi oedd yn gwneud pob penderfyniad, yn pwyso a mesur pob perygl, yn derbyn pob cyfrifoldeb. Mi oedd o, y dyn a fu'n wrthryfelwr mor beryglus fel bod ei wlad a'i frenin wedi'i gondemnio i farwolaeth, yn dilyn mor llywaeth ag y byddai wedi dilyn y dienyddiwr at y grocbren. Ond roedd pethau'n wahanol i mi; doeddwn i ddim yn gallu ymlacio ar y cwch hyd yn oed, ddim hyd nes bod fy nhraed yn ddiogel yma, yma ar dir y wlad hon sydd wedi rhoi'r ffasiwn groeso a chynhaliaeth i ni.

Ond tydi o ddim fel petai o'n cofio dim o hynny. Y gell a'r sgert a'r clogyn sydd yn ymddangos eto ac eto yn ei feddwl ffwndrus. A byw efo fo yn y byd hwnnw sydd yn rhaid i mi yn amlach ac yn amlach. Ac mae'n cael effaith arna innau. Dw i'n deffro yn y bore ac am eiliad dw i'n wraig ifanc â thân yn ei bol unwaith eto a fy meddwl yn gwibio yma ac acw yn mesur peryglon. Mae nerfusrwydd yn drychfilod yn fy nghylla a fy synhwyrau yn effro i bob sŵn a phob symudiad. Dim ond am eiliad neu ddwy, wrth gwrs, ac yna dw i'n gweld fy llaw â'i rhychau a'i smotiau brown, dw i'n gweld a chlywed yr hen ŵr â'i frest yn gaeth yn gorwedd wrth fy ochr, a dw i'n codi ar fy eistedd ac yn teimlo'r cryd yn fy nghymalau. Efallai fy mod i'n breuddwydio am y peth, ond os ydw i, tydw i ddim yn cofio dim yn y bore. Neu efallai fod fy nghorff yn cofio a fy meddwl yn fy ngwarchod.

Mae'r meddygon yn fy sicrhau bod ei gorff o'n gryf ac yn iach heblaw'r caethni ar ei frest. Cyn iached â chorff unrhyw ddyn arall o'i oed, o leiaf.

'Mi all o fyw am flynyddoedd lawer,' meddai un ohonynt.

'Efallai y bydd yn byw yn hirach na chi,' meddai un arall gan chwerthin. Trio fy nghysuro oedd o. Roedd o'n ifanc ac yn ddibriod. Ac nid fy meddyg i oedd o.

Dw i'n cofio ymweld â'r carchar cyn diwrnod y twyllo mawr, diwrnod y dianc – ymweld i esbonio be oeddwn i am ei wneud, ac yntau'n trio fy mherswadio i'w adael yno a dianc fy hun dros y môr. Ond doedd hi ddim yn sgwrs hir – hyd yn oed adeg honno roedd o'n fy adnabod yn ddigon da i wybod nad oedd pwrpas trio newid fy meddwl os oeddwn i wedi penderfynu rhywbeth.

'Wna i ddim mynd hebddat ti,' meddwn i. 'Wna i 'mo dy adael di. Byth!'

Efallai y dylwn i fod wedi esbonio hyn i gyd wrth yr offeiriad yn y gyffesgell bore 'ma. Ond mae yntau, fel y meddyg, yn ifanc ac wrth gwrs yn ddibriod. Felly wnes i ddim trio esbonio'r manylion na dweud y stori i gyd. Y cwbl wnes i oedd dweud wrtho fy mod yn sicr y byddwn, yn fuan iawn, yn cyflawni pechod marwol. Anogodd fi i ymladd yn ei erbyn, ac yna, gan ei fod yn ddyn ymarferol, fy annog, petawn i'n methu, i ddod i gyffesu mor fuan â phosib ar ôl cyflawni'r pechod. Dywedodd y byddai'n gweddïo drosta i.

Fe fydd rhaid i mi wneud yn y bore, cyn iddo ddeffro. Efallai y bydd angen ychydig o rywbeth i wneud iddo gysgu'n drymach nag arfer, ac yna gobennydd trwm a gweddi. Ond ddim heddiw. Heddiw mi geith wisgo'i sgert a'i glogyn ac fe gawn ni gerdded fraich ym mraich trwy'r drws o'r tŷ allan i'r ardd, drosodd a throsodd a throsodd.

Y Gwir

Pan garcharwyd yr Arglwydd Nithsdale yn 1715 am ei ran yng ngwrthryfel y Jacobitiaid a'i ddedfrydu i farwolaeth, achubwyd ef o'r carchar gan ei wraig, yr Argwlyddes Winifred Nithsdale, a'i ffrindiau. Gwnaethant hyn trwy fynd â dillad merch i mewn i'r carchar pan oedden nhw'n ymweld ag ef, gwisgo'r Arglwydd ynddynt, a chreu digon o fynd a dod o'r gell fel na sylweddolodd y ceidwaid fod un 'wraig' ychwanegol wedi gadael yr adeilad.

Y Salon

Gwallt cwta oedd gen i cyn mynd i'r carchar. Peth od i'w ddeud, yn de? 'Mynd i'r carchar.' Fel petawn i wedi mynd yno o 'ngwirfodd, wedi ymchwilio pa un oedd y carchar gora a gwneud fy newis, wedi pacio fy mag a phrynu tocyn trên. Gwallt cwta oedd gen i cyn i mi gael fy ngyrru i garchar. Bob ffasiynol a oedd yn cael ei dorri bob chwech wythnos o leia, ac os nad gan Marco ei hun, gan un o'r torwyr gwallt mwyaf profiadol, nid y genod oedd yn dysgu. Ac mi oeddwn i'n ei liwio weithiau, er mwyn y sglein yn fwy na'r lliw. Mi oedd gen i gyhoeddiad yn fy nyddiadur ar gyfer yr wythnos ganlynol fel roedd hi'n digwydd, dau o'r gloch ddydd Mercher, a dw i'n cofio meddwl wrth deithio yng nghefn y fan o'r llys y dylwn i fod wedi ffonio i ganslo. Gwirion, 'de? Poeni am Marco a'i lyfr apwyntiadau yn hytrach na phoeni am fy rhieni, yn hytrach na phoeni am yr hogia roeddwn i wedi trio'u helpu, yn hytrach na phoeni amdanaf i fy hun. Mae'n siŵr bod 'na rywun wedi deud wrtho fo. Erbyn i mi gael ymwelydd allai drosglwyddo neges iddo roedd y cyhoeddiad wedi hen fod. Mi oeddwn i'n meddwl lot am y trefniant 'na i gael mynd i neud fy ngwallt. Nid dim ond y siop dorri gwallt ond y diwrnod ar ei hyd. Roedd hi'n arferiad gen i gymryd diwrnod cyfan o'r gwaith ar ddiwrnod trin gwallt. Peth digon hawdd i'w drefnu gan mai fy nghwmni i oedd o. Diwrnod ar fy mhen fy hun, diwrnod i'r brenin chwedl Mam – chydig o siopa dillad, efallai rhyw driniaeth arall, ewinedd o bosib neu dwtio fy aeliau, a phryd da, cinio ganol dydd neu efallai swper cynnar. Meddwl am y bwyd oeddwn i'n fwy na dim, efallai. Mae'n bosib y byddwn i wedi mentro i'r bwyty newydd ger yr eglwys, lle da am fwyd môr, meddan nhw. Roedd hi'n hollol ddealladwy fy mod i'n meddwl cymaint am y cinio braf na chefais i gyfle i'w fwyta a bwyd y carchar mor wael.

Ond er gwaethaf safon, neu ddiffyg safon, y bwyd, roedd fy ngwallt yn tyfu, yn tyfu'n hir os nad yn drwchus. Ac mi oeddwn i'n casáu ei deimlo'n cyffwrdd fy ysgwyddau, ac yn casáu gorfod ei hel allan o fy llygaid byth a beunydd. Od sut roedd rhywbeth felly'n fy mhoeni. Ond y pethau bach oedd yn fy mhoeni – nid bod y bwyd yn wael ond nad oedd yna gyllyll a ffyrc iawn; nid bod rhaid ymolchi mewn dŵr oer ond nad oedd yna ddewis o hylif croen. Mi oeddwn i'n gallu teimlo fy hun yn newid, yn mynd yn flerach ac yn futrach. Gallwn deimlo fy hun yn newid o fod yn gwpan tsieina i fod yn fŵg potyn, ac fe wyddwn y byddwn i cyn pen dim yn gwpan enamel a'r enamel hwnnw wedi tsipio.

Nid fi oedd yr unig un wrth gwrs. Mi oeddwn i a Selda yn molchi rhyw fore a doedd yna ddim hyd yn oed sebon, dim un clap yn yr holl ystafell ymolchi fawr.

'Mi fyddai Mam yn gwaredu petai hi'n fy ngweld i,' meddwn i. 'Doedd hi byth yn gadael y tŷ heb golur.'

'Mi fyddai Daniel wedi synnu hefyd,' atebodd hithau gan sychu ei gwyneb ag un o'r llieiniau cras oedd yn crogi o'r hoelen.

'Dy ŵr?' medda fi.

'Nage. Fysa fy ngŵr i ddim yn sylwi petawn i wedi rhoi'r gora i wisgo colur, petawn i byth yn gwisgo sodlau na siafio fy nghoesau. Efallai mai dyna pam roeddwn i angen Daniel, rhywun i sylwi. Mae dynion hŷn yn sylwi mwy, ac yn gwario mwy.'

Ac am y tro cyntaf ers yn hir iawn mi wnes i chwerthin, chwerthin llond fy mol. Ac mi chwarddodd Selda hefyd.

'Doedd o ddim rhy hen, cofia,' meddai gan godi un ael. A'r ddwy ohonom yn dal i chwerthin wrth fynd i nôl ein brecwast digalon.

Doeddwn i ddim yn chwerthin y bore wedyn. Ers i fy ngwallt dyfu mi oeddwn i wedi llwyddo i gael gafael ar fand lastig i'w glymu'n ôl, ond wrth i mi ei droi o amgylch fy ngwallt y bore hwnnw mi dorrodd y band, sboncio i'r gwter agored oedd yn llifo trwy ganol y stafell ymolchi, a chyn i mi gael cyfle i'w achub roedd wedi cael ei gario gan lif y dŵr i lawr y gwter.

Band lastig! Blydi band lastig! Doedd o ddim hyd yn oed yn fand gwallt pwrpasol – un roedd gard wedi'i ollwng yn ddamweiniol wrth ddosbarthu llythyrau un bore oedd o. Ac mi oeddwn i'n crio ac yn rhegi oherwydd mod i wedi'i golli o. A doeddwn i byth yn rhegi, a doeddwn i'n sicr ddim yn colli rheolaeth arnaf i fy hun a chrio'n gyhoeddus. Wyddwn i ddim pa un oedd waethaf - fy nghroen a fy ngwallt mewn ffasiwn gyflwr, un yn sych a'r llall yn seimllyd, neu fy meddwl yn dirywio. Doeddwn i erioed wedi bod yn un oedd yn meddwl llawer am fy enaid, ond mi oedd tamaid bach ohona i'n gwbod bod hwnnw mewn gwaeth stad na fy nghorff na fy meddwl.

Dyna oedd yn digwydd i ni, yn enwedig i'r rheini ohonom oedd wedi cael bywyd braf a gwâr cyn cael ein carcharu, bywyd lle roedd yna siopau trin gwallt drud a siopau llyfrau a chyllyll gwahanol i fwyta pysgod. 'Y ledis' roedd y lleill yn ein galw, y rhai oedd yno oherwydd eu bod wedi dwyn neu wedi lladd, wedi anafu neu wedi cael eu dal yn puteinio. Ac eto roedd hi'n syndod cyn lleied o falais oedd tuag atom.

A fanno oeddwn i, yn yr ystafell ymolchi lawn a phob un yn trio brysio oherwydd nad oedd yna byth ddigon o siwgwr i'w roi ar uwd pawb amser brecwast, yn rhegi fel cath. Doeddwn i ddim hyd yn oed yn sylweddoli mod i'n gwbod hanner y geiriau - ymddangos o fy isymwybod yn rhywle wnaethon nhw. Ac yna fe roddodd rhywun ei llaw yn ysgafn ar fy ysgwydd cyn symud i sefyll yn syth o fy mlaen.

'Paid â rhegi,' meddai hi. 'Tydi gwragedd bonheddig a merched proffesiynol ddim yn rhegi.'

Doeddwn i ddim yn gwbod ei henw hi er mod i wedi sylwi arni. Roedd hi ychydig yn hŷn na'r rhan fwyaf ohonom, ond yn ddynas ddistaw ac yn tueddu i gadw iddi hi'i hun. Yn aml, byddai wedi llwyddo i gael gafael ar lyfr o rywle ac yn eistedd mewn cornel yn ei ddarllen heb sgwrsio efo neb.

'Wel, tydw i ddim yn wraig fonheddig nac yn ferch broffesiynol yn fama, nag ydw!' harthiais.

'O, wyt,' atebodd. 'Efallai nad wyt ti'n rheoli dy gwmni rŵan, fwy nag ydw i'n darlithio i fy myfyrwyr, ond cyfarwyddwr cwmni ac uwch-ddarlithydd ydan ni.'

'S'mudwch, y slwts!' gwaeddodd un o'r gards. 'Tydi o ddim ots os ydi petha fel chi'n lân neu'n fudur, drewi 'dach chi beth bynnag.' A chwarddodd y gard ar ben ei jôc dila ei hun.

'Dw i'n credu eu bod nhw ar fin gweini brecwast,' meddai'r wraig. 'Sgynnoch chi awydd ymuno â fi bora 'ma?'

Wnes i ddim ateb.

'Mae'n ddrwg gen i,' meddai hi, a'i llais yn isel ac addfwyn, 'wnes i ddim cyflwyno fy hun. Y Dr Myfanwy Perriman – uwch-ddarlithydd hanes celf ym Mhrifysgol Gwenllian.'

Roedd Selda yn sefyll y tu ôl i'r Dr Perriman ac fe ddaliodd fy llygad, codi ei haeliau a symud ei bys mewn cylch bychan wrth ochr ei thalcen i arwyddo bod y parchus ddoctor, yn ei barn hi, yn drysu. Efallai nad oeddan ni, y carcharorion gwleidyddol, mor galed â llawer o'r merched eraill ond mi oeddan ni'n prysur ddysgu. Nid trwy siarad yn addfwyn a chyfeirio at frecwast yn cael ei weini roedd goroesi mewn lle fel hyn.

Ond er gwaethaf hynny mi wnes i, am ryw reswm, gydgerdded gyda Myfanwy Perriman i lawr i'r ffreutur. Eisteddodd y ddwy ohonom ar ben un o'r byrddau hirion. Dechreuais sglaffio fy mwyd yn syth, cyn i mi eistedd i lawr hyd yn oed. Roeddwn wedi mynd i'r arfer o wneud hynny er y diwrnod hwnnw pan gafwyd selsig i frecwast a finnau ddim ond wedi gallu bwyta un o fy rhai i cyn i'r un arall ddiflannu. Ond mi oedd yn drawiadol pa mor ara deg a phwyllog roedd fy ffrind newydd yn bwyta'i brecwast. Byddai'n cymryd sip o goffi, cegiad bach o fwyd, sip arall o goffi ac yn sgwrsio. Dw i ddim yn cofio'n iawn am be oedd y sgwrs – dw i'n credu ei bod hi wedi trafod coffi, y gwahaniaeth rhwng ffa Arabica a ffa Robusta, ac efallai ei bod hi wedi sôn am ei chwaer oedd yn byw yn Ne Affrica. Ac yna fe ddychwelodd at darddiad yr helynt yn yr ystafell ymolchi.

'Dy wallt,' meddai hi. 'Mae 'na griw bychan ohonom yn cyfarfod i wneud y gora medran ni. Efallai yr hoffet ti ymuno â ni?'

Mae'n rhaid ei bod yn amlwg o fy ngwyneb nad oeddwn i'n deall yn iawn. Ymhelaethodd Myfanwy.

'Does ganddon ni ddim siswrn wrth gwrs. Does 'na ddim gobaith mul cael dim byd felly. Ond 'dan ni'n gwneud y gora medran ni.'

Edrychais arni – roedd ei gwallt yn hir ac yn dechrau britho ac wedi ei glymu yn *chignon* twt ar ei gwar.

Rhoddodd ei chwpan goffi i lawr ac estyn ei llaw i dynnu rhywbeth o'i gwallt ac yna ysgwyd y cudynnau'n rhydd dros ei hysgwyddau. Roedd yna rywbeth main, gwyn yn ei llaw a rhoddodd o i mi er mwyn i mi gael edrych arno. Craffais am ychydig cyn sylweddoli be oedd hi wedi'i roi i mi – darn o asgwrn cyw iâr wedi'i grafu yn lân a'i siapio rhywfaint. Dychwelais yr asgwrn iddi a chydag ychydig symudiadau twt roedd y *chignon* yn ôl yn ei le ar ei gwar, mor daclus a llawn steil â phe bai'n mynd i barti soffistigedig gyda rhai o'i chyd-ddarlithwyr.

Ac felly y dechreuodd fy ymweliadau wythnosol â'r salon. Dysgais sut i wneud plethen Ffrengig, er nad oedd yna ddim byd i glymu ei gwaelod. Cawsom awran o sgrechian mewn poen a chwerthin yn afreolus ar ôl i un ohonom gael gafael ar edau reit gref a phenderfynu ymosod ar ein haeliau. Fe wnaeth rhywun gyfnewid y darn bychan o siocled a roddwyd i bawb ddiwrnod Dolig am fodfedd o bensel *kohl* ac yna ei rhannu efo'r gweddill. Un o'r sesiynau brafiaf oedd ein hymdrechion i dylino pen yn y dull Eifftaidd ar sail fy atgofion i o wyliau flynyddoedd ynghynt.

Fe ychwanegwyd pethau nad oedd ganddyn nhw ddim i'w wneud â chorff a harddwch – gwersi Ffrangeg syml, sgwrs am gelf gan Myfanwy, a phan ymunodd Selda efo ni cawsom awran o ganeuon gwerin. Wyddwn i ddim mai dyna oedd un o'i diddordebau na chwaith bod ganddi lais mor dlws. Ond edrych ar ôl ein cyrff oedd y peth pwysicaf. Dyna oedd yn gwneud i ni gerdded i lawr y coridorau wedyn â'n pennau ychydig yn uwch, dyna oedd yn gwneud i ni gamu dros y tomenni sbwriel yn yr iard mewn ffordd ychydig bach mwy gosgeiddig, a dyna oedd weithiau yn ein rhwystro rhag crio pan fyddai gard yn rhoi peltan i un ohonom.

Un o'r pethau cyntaf wnes i ar ôl cael fy rhyddhau oedd prynu colur. Doedd gen i ddim llawer o arian, ac efallai y byddai wedi bod yn well i mi ei wario ar fwyd neu ar docyn trên, ond pan welais i finlliw yr union liw yr oeddan ni wedi bod yn sôn amdano yn ffenest y siop wnes i ddim petruso. Dw i'n dal i wisgo'r lliw yna. Nid bob diwrnod wrth gwrs – mae 'na ddyddiau pan fo rhywbeth sy'n nes at binc yn fwy addas – ond mae yno yn fy mag. Mae fy merch yn fy wfftio. 'Plygu i ormes patriarchiaeth' ydi colur iddi hi, ac i be yr a' i i chwalu ei diniweidrwydd hi?

Y Gwir

Yn Tsiecoslofacia yng nghanol y ganrif ddiwethaf carcharwyd dros 100,000 o bobl am 'droseddau gwleidyddol'. Un ohonynt oedd Dagmar Šimková a ysgrifennodd lyfr hunangofiannol am ei phrofiadau yn y carchar. Ynddo disgrifia sut roedd rhai o'r merched yn y carchar yn mabwysiadu'r hyn y mae'n ei alw'n Hedvábí-šustění – 'siffrwd y sidan'. Dyma sut y disgrifia hyn: 'Rydym yn eu gwrthwynebu nhw [awdurdodau'r carchar] trwy dynerwch, caredigrwydd, sylw i fanion a chwrteisi. Defnyddiwn enwau bachigol ... Rydym yn wragedd bonheddig. Gwyliwn bob symudiad, pob goslef a phob mynegiant yn ofalus. Hunanreolaeth gyson sydd yn rhoi i ni ymdeimlad o barch ac yn ein galluogi i gadw'n hurddas.' Mae carcharorion eraill wedi disgrifio Hedvábí-šustění fel gofal a thynerwch rhwng y naill a'r llall, yn aml trwy sesiynau harddwch wythnosol i ofalu am eu cyrff a'u gwalltiau. Byddai'r sesiynau hyn yn gymorth iddynt feithrin perthynas glòs â'i gilydd ac adennill eu hurddas.

Y Dywysoges

Fy nhŷ i ydi hwn. Dw i'n gallu camu i mewn ar ddiwedd y dydd a gwybod na wela i neb arall tan y bore wedyn os mynna i. Nid mod i'n byw fel lleian, ond rhywbeth rhyngtha i a'r ychydig ddynion sy'n cael gwahoddiad ydi hynny. Mae'r rhan fwyaf ohonyn nhw'n bod yn eithaf distaw ynglŷn â'u hymweliadau – dyna un o fanteision dyn priod. Ac os ydw i'n sylweddoli nad ydyn nhw wedi bod yn ddistaw fydd 'na ddim gwahoddiad eto. Mae'r dynion *plus one* yn griw gwahanol – nhw ydi'r dynion sy'n dod efo fi pan mae angen dyn ar fy mraich mewn parti, neu agoriad swyddogol, neu briodas. Unwaith eto mae dyn priod yn ddewis da –'ga i fenthyg dy ŵr?', ac ychydig iawn o fy ffrindiau sy'n gwrthod. Neu ddyn hoyw wrth gwrs. Neu ddyn sydd â dim diddordeb mewn rhyw, ac mae 'na fwy o'r rheini na 'sach chi'n feddwl os ydi'r creaduriaid yn cael teimlo'n saff i gyfaddef hynny. Anaml iawn mae 'na unigolyn yn rhan o'r ddwy garfan – yn cael bod yn fy ngwely ac ar fy mraich yn gyhoeddus.

137

Camgymeriad mawr ydi hynny wedi bod bob tro. Mae o'n mynd yn rhy agos at dir perthynas.

Canlyniad hyn i gyd, wrth gwrs, ydi bod teulu a ffrindiau yn credu fy mod i angen dyn. Waeth gen i ddim be maen nhw'n ei gredu ond y drwg ydi eu bod nhw'n trio gwneud rhywbeth am y peth.

'Wyt ti wedi clywed fod Martin wedi ysgaru?'

'Tyd i gael swper. Fe fydd Siôn yna. Ti'n cofio Siôn?'

'Mi wnaeth fy nghneither ffindio'i gŵr ar y safle we 'ma.'

'Wyt ti ddim yn unig?'

'Dw i ddim yn dallt pam fod dynas smart fatha chdi ar ei phen ei hun.'

Ac mae'r atebion yn fy mhen fel fflach:

'Do. Ac mi ydw i wedi clywed pam hefyd.'

'Yndw. Dw i'n ei gofio fo'n sychu'i drwyn ar ei lawes yn yr ysgol gynradd.'

'Mae 'na well safleoedd gwe at fy niben i.'

'Nag ydw.'

'Oherwydd mod i'n gall.'

Ond anaml iawn dw i'n deud yr atebion hyn. Troi'r stori ydw i fel arfer a'i gwneud yn hollol amlwg fod y pwnc yn fy niflasu a bod yna bethau pwysicach i'w trafod. Ond weithiau dw i'n oedi pan mae rhywun yn gofyn pam mai ar fy mhen fy hun dw i isio bod. Mae hwnnw'n ddrws bach, bach i ystafell fawr, fawr.

Ac nid dim ond adref dw i ar fy mhen fy hun, wrth gwrs. Dw i'n cyflogi degau erbyn hyn ac mae'r cwmni'n dal i dyfu. Ond wna i ddim gadael iddo fo dyfu llawer mwy. Os bydd o'n tyfu llawer mwy na hyn fe fydd rhaid i bobl eraill wneud penderfyniadau pwysig, ac os ydyn nhw'n gwneud penderfyniadau pwysig fe fydd yn rhaid i mi ymddiried ynddyn nhw. A phan mae hi'n fater o ymddiried yn rhywun does yna fawr o wahaniaeth rhwng dyn a dynas. Felly mae yna ddrws ar fy swyddfa a phan dw i'n cyrraedd yno am wyth y bore dw i'n ei gau ar fy ôl ac yn disgwyl i bawb gnocio. Drws gwydr fel fy mod i'n gallu gweld pwy sydd am ddod ata i.

Pethau da ydi drysau. Pan oeddwn i'n fach, bob tro y byddwn i'n cael fy symud i gartref newydd y peth cyntaf yr oeddwn i am ei weld oedd drws y llofft. Dw i'n cofio un lle, y tŷ efo llwyth o gathod, lle nad oedd yna ddrws ar y llofft. Mi oeddwn i'n casáu hynny i ddechrau ond mi wnes i ddod i arfer. A doedd dim posib i neb gerdded i mewn i'r llofft heb i mi eu gweld nhw'n dod. Mae 'na ryw fantais i bopeth, does? Ac eto, dwn i ddim pam roedd hynny mor bwysig i mi adeg honno a finna ond rhyw chwech oed. A'r drysau eraill – roedd rhai efo cloeon a rhai heb, rhai efo cloeon ar yr ochr fewn a rhai eraill ar yr ochr allan. Dw i fel 'swn i'n awgrymu mod i wedi cael fy ngham-drin yn y cartrefi 'ma, tydw, ond ches i ddim. Roedd pawb yn fy nhrin i'n ddigon parchus, doeddwn i ddim yn cael fy nghuro na fy llwgu na fy ngharu. Mwyaf tebyg mai'r anghysondeb oedd yn fy mhoeni – un drefn yn fama, trefn wahanol yn y lle nesaf. Ac yna fe newidiodd pethau.

Mi briododd Dad ddynas o'r enw Katherine. Roedd Dad wedi bod o gwmpas i ryw raddau o'r dechrau, wrth gwrs – ambell ymweliad, ambell amlen efo papur deg punt ynddi hi. Mi wnaeth o ddeud ei fod o wedi mynd â fi allan ar fy mhen-blwydd pan oeddwn i'n dair ond tydw i ddim yn cofio. Ac yna mi briododd o Katherine.

Mae'n siŵr bod 'na lawer o bethau wedi digwydd heb i mi fod yn ymwybodol ohonyn nhw – sgyrsiau a chyfarfodydd achos a chyflwyno tystiolaeth. Ond o nabod Katherine fe fyddai wedi delio'n ddigynnwrf a didrafferth efo pethau felly gan swyno pawb, ac yn sicr doeddwn i ddim yn ymwybodol fod unrhyw beth yn digwydd. Doedd hi ddim yn adeg pan fyddai pobl wedi meddwl gofyn barn y plentyn. Ta waeth, ychydig cyn fy mhen-blwydd yn un ar ddeg mi ges i fynd i fyw efo Katherine. Wel, efo Katherine a Dad wrth gwrs, ond mi oedd o mor bell ag erioed, ar y dechrau o leiaf.

'Mi wyt ti fel mam iddi hi, Katherine!'

Dw i'n cofio un o'i ffrindiau'n dweud hynna. Doeddwn i ddim yn rhan o'r sgwrs – eistedd ar ben pella'r bwrdd yn gwneud fy ngwaith cartref oeddwn i a Katherine wedi gosod bisgedi a gwydriad o Ribena o fewn cyrraedd i mi heb ddweud gair – ond dw i'n cofio'i glywed a meddwl ai pethau fel hyn roedd mam yn eu gwneud. Wyddwn i ddim. Doeddwn i ddim yn cofio Mam.

Ond yn sicr, mi oedd Katherine yn wahanol i bob un o'r rhai oedd wedi fy maethu. Os rhywbeth mi oedd hi'n llai perffaith. Weithiau gallai'r tŷ fod yn flêr a di-drefn. Weithiau doedd ganddi ddim amser i goginio ac fe fyddai pawb yn cael caws ar dost. Ond mi oedd ganddi amser i siarad bob tro, ac amser i esbonio, ac i ddangos, ac i ddysgu.

'Wyt ti wedi gwylio *Casablanca*?' Doeddwn i heb.

'A chymysgu'r blawd i mewn yn araf.' Ac mi ydw i'n dal i fwynhau pobi cacennau.

'Un, deux, trois ...'

'Dewis di unrhyw lyfr.'

'Gad i mi wrando ar y newyddion.' A finna'n sylweddoli am y tro cyntaf bod y newyddion yn bwysig a'i fod o'n effeithio ar fywydau pawb.

Ac yn fwy na dim roedd ganddi hi amser i wrando. Mi oeddwn i'n bwysig iddi hi.

'Fy nhywysoges fach i.'

Dyna oedd hi'n fy ngalw i. Waeth be oedd yn fy mhoeni – ac fel pob plentyn deuddeg oed mi oedd fy myd yn llawn problemau pitw pwysig – mi oedd ganddi amser i wrando. Roedd hi'n gweithredu fel pont rhwng Dad a finna, a ni'n dau yn dod yn nes oherwydd bod Katherine yn cyffwrdd y ddau ohonom. Mor agos fel nad oedd ei hangen hi fel pont ar adegau ymhen rhyw flwyddyn neu ddwy, ac mi oedd hi'n amlwg wrth ei bodd efo hynny. Mi oedd hi hefyd yn gorfforol fwythlyd, rhywbeth nad oedd fy nhad byth. Ddim yn ormodol felly, ond roedd y ddwy ohonom yn eistedd ochr yn ochr ar y soffa ar noson oer, ac mi fyddai hi'n hel cudyn o wallt o fy ngwyneb, ac yn tasgu dŵr drosta i a ninnau'n ymdrochi ar y traeth. Y math o bethau na fyddai'r rhan fwyaf o bobl yn ystyried eu rhestru fel pethau pwysig.

A hyd yn oed y diwrnod ofnadwy hwnnw fe lwyddodd

i gael gafael ar ryw nerth i fy nghysuro. Fe ddaeth i fy nôl o'r ysgol a gyrru ychydig allan o'r dref cyn aros mewn cilfan, un o'r cilfannau hynny sy'n cynnig golygfa wych, cyn esbonio i mi bod Dad wedi marw.

'Mi oedd o'n fyw yn cyrraedd yr ysbyty, ond doedd 'na ddim y medran nhw'i neud. Mi nethon nhw drio'u gora, eu gora glas, ond ...'

Ac yno, yn y blydi gilfan 'na, mi wnes i a Katherine afael yn y naill a'r llall a chrio. Crio am yn hir cyn gollwng gafael a mynd adref. Y cwbl wnes i oedd eistedd ar y soffa a gwylio'r teledu, er nad oedd gen i syniad pa raglen oedd hi, a gwrando ar Katherine ar y ffôn yn gall ac yn gryf yn deud wrth bawb be oedd wedi digwydd a be fyddai'n digwydd ac yn gwrthod cynigion o help ac yn derbyn cynigion o help. Ac yna fe wnaeth wy ar dost i'r ddwy ohonom a mynnu fy mod i'n bwyta rhywfaint o leiaf. Ond y noson honno fe ddaeth Katherine i fy llofft i ac i mewn i fy ngwely i a gafael amdana i trwy'r nos fel petai hi'n blentyn bach ofn bwci bos. Ac felly y cysgodd y ddwy ohonom am wythnosau. Yn ystod y dydd hi oedd yn gryf, ond yn y nos mi oedd hi'n dibynnu ar hogan bedair ar ddeg i'w chysuro.

Efallai mai dyna pam y gwnaeth hi fy annog i fynd i dde Ffrainc efo fy nghneitherod pan ges i gynnig.

'Cer,' meddai hi. 'Haul, bwyd da, gwella dy Ffrangeg. Ymhen deufis mi fyddi di'n rhugl, gei di weld. Cer.'

Ac mi es, ac fe aeth y ddeufis yn ddeufis a hanner. Ac yna mi oeddwn i adra. Ac efallai mai adeg honno, wrth gerdded trwy'r drws gyda fy magiau ac wedi blino'n lân ar ôl taith drên hir, y gwnes i deimlo go iawn am y tro cyntaf mai yno efo Katherine oedd adra.

'Sbia arnat ti!' meddai hi gan fy nghofleidio ac yna fy ngollwng er mwyn edrych arna i o hyd braich, ac yna fy nghofleidio eto. 'Sbia brown wyt ti! A ti wedi tyfu! Mae dy goesau di wedi tyfu! A dy wallt! *Très chic*!'

Dw i'n cofio meddwl ei bod hitha'n edrych yn dda, ei bod hi wedi adennill rhywfaint o'r pwysau roedd hi wedi'i golli ar ôl i Dad farw.

'Reit,' meddai hi, 'dw i isio'r hanes i gyd. Diolch am anfon llunia a ballu ond tydi o ddim 'run peth â chael yr hanes yn iawn. Panad? Neu wyt ti wedi mynd yn rhy soffistigedig i banad o de?'

A'r ddwy ohonom yn chwerthin. Ac yna fe ddaeth 'na ddyn nad oeddwn i wedi'i weld o'r blaen i mewn i'r gegin trwy'r drws cefn, cerdded i mewn fel petai o wedi hen arfer cerdded i mewn.

'Wel, Kath, wnest ti ddim deud wrtha i ei bod hi mor ddel! Del iawn wir!'

A rhoddodd ei law yn ysgafn am funud ar fy nghefn wrth fy mhasio i fynd at yr oergell, ac mi wnes inna ddifaru gwisgo crop top. Plygais i lawr, agor un o fy magiau a thynnu crys chwys allan a'i wisgo. Fe aeth yntau i nôl potel o gwrw, ei hagor a'i hyfed. A dyna pryd y gwnes i gyfarfod Tomos Seymour.

'Yn ara deg a phob yn dipyn mae gwthio bys lan tin gwybedyn.' Dyna sy'n dod i fy mhen bod tro y bydda i'n meddwl am Tomos. Dw i'n ei gofio'n dweud hynny wrth iddo wthio'i fys.

'Ti ddim cweit mor dynn â gwybedyn, nag wyt? Ond dipyn tynnach na'r hen Kath, greaduras.'

Ac mi oedd o'n chwerthin yn ddistaw a finna'n hollol dawel ac yn hollol llonydd, wedi rhewi.

'Ymlacia, 'mach i. Mi ddoi di i ddallt ei fod o'n braf. Pan fyddi di'n hogan fawr mi fyddi di'n crefu ar yr hogia i wneud hyn.'

Ond ddim dyna oedd hi'n syth, wrth gwrs. Fel y dudodd o – ara deg a phob yn dipyn … Pasio yn ei focsars ar y ffordd i'r ystafell molchi. Dod i fy llofft ar ôl i mi fynd i fy ngwely i ofyn a oedd gen i fenthyg beiro ddu. Dod â phanad i mi peth cynta'n y bora – panad yn fy ngwely cyn i mi wisgo. Sws ar fy mhen-blwydd, sws a fethodd fy moch yn ddamweiniol a glanio'n wlyb ar fy ngwefusau. A doedd o ddim hyd yn oed yn cuddio hyn oddi wrth Katherine. Wnes i rioed ddeall oedd hi'n sylweddoli. Dw i'n ama ei bod hi. Mi oeddan ni'n dwy'n deall ein gilydd yn rhy dda iddi hi beidio gwybod. Ond wnaeth hi ddim dweud na gwneud dim byd. Roedd hi wedi gwirioni efo fo. Roedd ganddi hi ei ofn. Roedd ganddo bŵer drosti am ryw reswm.

'Ga i glo ar ddrws fy llofft, Katherine?'

'Mi wna i ofyn i Tomos osod un.'

Ac mi wnaeth o osod un. Ac mi gadwodd un o'r goriadau.

'Ydi Tomos yn gorfod byw efo ni, Katherine?'

'Dw i ddim isio bod ar fy mhen fy hun. Mae'n rhaid i bawb gyfaddawdu rhywfaint. Dyna ydi perthynas.'

Plentyn oeddwn i, ac mi oeddwn i yno am ddwy

flynedd arall cyn gadael. Ond mi ydw i'n oedolyn rŵan a does dim rhaid i mi gyfaddawdu. Ac mae 'na gloeon ar fy holl ddrysau a fi sydd â'r unig oriadau ar eu cyfer.

Y Gwir

Er na wnaeth Harri VIII gymryd llawer o ddiddordeb yn Elizabeth, ei ferch, pan gafodd ei geni, yn nes ymlaen pan briododd â Catherine Parr, ei chweched wraig, fe ddatblygodd perthynas dda rhyngddi hi â'i llysferch. Trefnodd Catherine i'r ferch ifanc, a ddeuai ymhen amser yn Frenhines Elizabeth I, gael addysg ac roedd yn famol iawn tuag ati yn ôl pob sôn. Ond ar ôl marwolaeth Harri fe briododd Catherine efo Thomas Seymour ac mae yna gofnod gan weision o'r diddordeb mawr oedd gan Thomas yn y dywysoges, a hyd yn oed ddisgrifiad gan weision o'r tri'n cyboli'n rhywiol ac o Catherine yn gafael yn Elizabeth tra bod Thomas yn 'torri ei gŵn yn gant o ddarnau'.

Y Wlaw-len

Maen nhw'n dweud mai Blaenau Ffestiniog ydi'r dref fwyaf glawog yng Nghymru, yn wir ym Mhrydain, medd rhai. Wn i ddim am hynny, ond yn amlach na pheidio pan dw i'n cerdded i'r capel ar ddydd Sul mae hi'n bwrw glaw. Er pan oeddwn i'n hogan fach dw i wedi cyrraedd yno yn wlyb at fy nghroen, neu o leiaf â fy nghôt yn wlyb. Ac wedyn rhaid eistedd yno am awr a mwy a'r gwlybaniaeth a'r oerni yn treiddio o fy nillad at fy esgyrn a finna'n rhynnu. Fe fyddai'n haws i mi ganolbwyntio ar bregeth taswn i'n sych.

Tydi pawb ddim yn wlyb, wrth gwrs. Yng nghornel mynedfa'r capel, yn y portsh, mae yna ymbaréls. Mae rhai ohonyn nhw yn crogi ar fachau, rhai eraill wedi'u gosod mewn bwcedi fel tusw o flodau, ac ymbaréls y rhai olaf i gyrraedd, neu'r rhai mwyaf difeddwl o'u heiddo, yn gorwedd ar lawr. Tywyll ydi'r rhan fwyaf ohonyn nhw – du neu las tywyll neu lwyd – ond mae 'na ambell un, y merched ieuengaf ar y cyfan, yn berchen ar rai lliwgar.

Mi oeddwn i wedi penderfynu ers blynyddoedd petawn i'n berchen ar ymbarél mai un lliwgar fyddai o, er ddim yn rhy liwgar – gwyrdd efallai – ac y byddwn i'n cyrraedd y capel yn fuan bob Sul er mwyn i fy ymbarél i gael crogi ar un o'r bachau yn hytrach na chael ei wthio i fwced neu ei adael ar lawr.

Testun y bregeth heddiw oedd y degfed gorchymyn.

'Na chwennych dŷ dy gymydog, na chwennych wraig dy gymydog, na'i wasanaethwr, na'i wasanaethferch, na'i ych, na'i asyn, na dim a'r sydd eiddo dy gymydog.'

Mi fuodd Moses, neu Dduw, yn graff iawn yn ychwanegu'r cymal olaf 'na. Ond go brin y byddai yr un o'r ddau wedi bod yn meddwl am ymbaréls. Go brin bod yna ffasiwn bethau'n bod adeg honno, yn enwedig mewn gwlad o greigiau ac anialwch a sychder. A'r darn arall pwysig, fel yr esboniodd y gweinidog, ydi'r gair chwennych.

'Nid dwyn yr ych neu'r asyn ydi'r pechod, 'dach chi'n gweld. Mae cenfigennu wrth eu perchennog a'u chwennych yr un mor ddrwg.'

Mi oedd o'n edrych ar ambell un yn y gynulleidfa wrth ddweud hyn ond wnaeth o ddim edrych arna i. Edrych ar ambell i ddyn a oedd yn adnabyddus fel tipyn o dderyn oedd o ac edrych ar ambell i ffarmwr oedd â chymydog oedd â gwell tir. Yn amlwg, allai o ddim amgyffred rhywbeth mor bitw â chwennych ymbarél. Ond fe wyddwn i fy mod i wedi pechu yn chwennych ymbarél, pechu llawn cymaint â phe bawn i wedi dwyn ugain o asynnod.

Ond fe ddaeth y bregeth i ben, ac yna'r emyn olaf, ac yna cydweddïo, ac allan â ni. Ac fe aeth petha braidd yn flêr y bore hwnnw wrth i bawb adael y capel. Mae'n ymddangos i Mrs Davies, Compton House godi ymbarél du Mrs Jones-Williams, ymbarél a oedd yn debyg iawn i'w hymbarél hi ond ei fod o dipyn gwell ansawdd yn ôl Mrs Jones-Williams. Ac wrth i Mrs Jones-Williams chwilio am yr ymbarél arall i brofi ei honiad, fe drawyd dwy o'r bwcedi dal ymbaréls drosodd fel bod eu cynnwys wedi'u gwasgaru ar hyd llawr y portsh yn gymysg efo'r rhai oedd eisoes ar lawr. Arweiniodd hyn at fwy byth o ddadlau ynglŷn â phwy oedd berchen pa ymbarél gyda'r canlyniad bod sawl un wedi cychwyn am adref gyda'r ymbarél anghywir. Ac mi godais inna ymbarél oedd wedi glanio wrth fy nhraed a cherdded allan trwy'r drws ac yna trwy'r giât. Yng nghanol yr holl helynt dw i ddim yn credu bod neb wedi sylwi be wnes i.

Cerddais ar hyd y lonydd cefn am adref gan edrych ar y peth hardd yn fy llaw. Nid un gwyrdd fel yr un yn fy mreuddwydion, ond o leiaf mi oedd yn un glas tywyll a oedd rhywfaint yn well nag un du. Rhyfeddais at be oeddwn i wedi'i wneud heb betruso, bron heb feddwl. Er ei bod hi wedi bod yn tywallt y glaw pan oedd pawb yn cerdded i'r capel doedd hi ddim yn bwrw bellach, felly allwn i ddim yn hawdd agor yr ymbarél, ddim heb edrych yn wirion. Arbrofais gyda gwahanol ddulliau o'i gario – gafael ynddo yn fy llaw gerfydd ei ganol, ei osod yn dwt o dan fy nghesail, ei drin fel ffon gan daro'r blaen metel yn gadarn ar y llawr bob tro y cymerwn gam.

Penderfynais mai dyna fy hoff ddull. Ac unwaith yr oeddwn i o olwg pawb allwn i ddim maddau – er nad oedd hi'n bwrw glaw agorais yr ymbarél a chysgodi oddi tano. Tydw i erioed wedi bod isio iddi hi fwrw glaw cymaint, ond wnaeth hi ddim. Felly roedd yn rhaid i mi blygu'r ymbarél eto. Mi ddychrynais am funud nad oedd o'n mynd i blygu'n ôl yn dwt i'w le, ond dim ond fi oedd heb arfer a heb sylwi ar y glicied fechan. O ollwng y glicied mi blygodd yn ôl yn daclus ac mi wnes i ei rwymo gyda'r strap bychan fel petawn i'n gwneud hynny bob dydd.

Does yna ddim llawer o fanteision i fod yn unig blentyn amddifad ond mae o'n golygu fy mod yn byw ar fy mhen fy hun mewn bwthyn diarffordd. Doedd dim rhaid i mi guddio'r ymbarél ar ôl cyrraedd adref – cafodd orffwys yn erbyn y wal ger y tân a phob yn hyn a hyn byddwn yn edrych arno a gwenu a rhyfeddu a gwaredu fy mod i wedi gwneud y ffasiwn beth. Penderfynais y byddwn yn mynd i'r bregeth gyda'r nos a'i ddychwelyd rhywsut neu'i gilydd. Fe fyddai rhaid gwneud rhyw esgus ond siawns y gallwn i feddwl am rywbeth.

Ond wnes i ddim mynd â fo efo fi i'r bregeth gyda'r nos. Gan nad oedd hi'n bwrw glaw penderfynais ei gadw tan y Sul canlynol er mwyn i mi gael y pleser, un waith, o gerdded oddi tano a hithau'n bwrw a bod yn berffaith sych yn ei gysgod. Fe fyddai hi'n siŵr o fwrw'r Sul canlynol ac fe gâi ei berchennog ei hymbarél yn ôl adeg honno. A thrafod ymbaréls oedd pawb y noson honno wrth gwrs, yn dilyn y digwyddiad yn y bore. Roedd rhywun wedi dod â chopi o'r *Gymraes* efo hi. Ymysg yr erthyglau trymach roedd cyfres o awgrymiadau amrywiol ac roedd un yn arbennig wedi denu'i sylw:

Y Wlaw-len. Hawdd iawn ydyw colli gwlaw-len, yn enwedig pan fo dwsin neu ddau ohonynt wedi eu gosod gyda eu gilydd. Dylai brodyr merched ieuaingc ddysgu torri eu henwau ar y carn. Arbedai hynny lawer o drafferth, a byddai yn foddion lled effeithiol i gynyddu gonestrwydd.

'Fydd dim rhaid i ti boeni, Siani,' meddai Marged Williams, 'dim ymbarél a dim brawd.'

Hen ast fuodd hi erioed, hyd yn oed yn yr ysgol gynradd. Gallwn deimlo bod rhai o'r lleill, hyd yn oed, yn ystyried bod Marged wedi mynd yn rhy bell y tro 'ma er na ddywedodd neb ddim byd.

'Mae'n drueni mawr nad oes gen i frawd,' atebais, 'petai ond am fy mod wedi prynu ymbarél yn y dre y diwrnod o'r blaen.'

Ystyriais am eiliad a oedd dweud celwydd fel hyn yn fater o ddwyn camdystiolaeth yn erbyn fy nghymydog. Penderfynais nad oedd.

'Dim ond un ail-law wrth gwrs,' ychwanegais. 'All hen ferch ar y plwy ddim fforddio un newydd wrth reswm pawb.'

Mi gymerodd ddyddiau i mi wneud y gwaith. Roedd carn y wlaw-len, chwedl *Y Gymraes*, yn gorn o ansawdd da ac yn galed, galed. A doedd gen inna ddim cyllell arbennig o gryf na miniog. Ond roddodd dim erioed gymaint o bleser i mi â cherfio'r dair llythyren yna ar garn fy ymbarél. SMJ. Siân Myfanwy James. Yr unig bethau sy'n dod yn agos at y pleser hwnnw yw edrych arno'n crogi oddi ar un o'r bachau pan fydda i wedi cyrraedd y capel yn gynnar, ac ymochel oddi tano wrth gerdded adref a hithau'n tresio bwrw glaw.

Y Gwir

Mae'r darn canlynol yn ymddangos yn ail rifyn Y Gymraes, Chwefror 1850:

'Y Wlaw-len. Hawdd iawn ydyw colli gwlaw-len, yn enwedig pan fo dwsin neu ddau ohonynt wedi eu gosod gyda eu gilydd. Dylai brodyr merched ieuaingc ddysgu torri eu henwau ar y carn [...]. Arbedai hynny lawer o drafferth, a byddai yn foddion lled effeithiol i gynyddu gonestrwydd.'

Hadau

Artistiaid oeddan ni. Ambell wyddonydd. Ond yno i'n bwydo ni efo syniadau oedd y gwyddonwyr, yno i roi rhyw haen o ddilysrwydd i'r prosiect. Doeddan ni, y rhai oedd yn creu'r gweithiau celf a oedd yn ymddangos mewn orielau ledled y byd, ddim yn deall y wyddoniaeth. Er gwaethaf awydd y gwyddonwyr i esbonio doeddan ni ddim yn ei deall go iawn. Bachu ar ambell i bwt o wybodaeth oeddan ni ac yna creu darn o waith celf.

Dw i ddim yn esbonio hyn yn dda iawn, nag ydw? Cerflunio ydi fy maes i. Nid sgwennu, nid creu naratif ac adrodd stori. Dal ennyd o'r stori a'i droi yn rhywbeth diriaethol – carreg neu blastig neu wiail – a gadael i'r un sy'n edrych arno greu ei stori ei hun. Os myn. Sori. Tydi hynna ddim yn adrodd y stori chwaith, nag ydi?

Un tro ... Felly mae isio dechrau'n de? Un tro mi oedd yna sgwennwr, ac mi oedd yna fardd, ac mi oedd yna adroddwr storïau. Ond bu'r tri farw. Mae honna'n stori, tydi? Dechrau, canol a diwedd. Roedd yna bobl, bu'r bobl farw, tydi'r bobl ddim yn bod bellach. Efallai eich bod chi isio mwy o fanylion. Mi oeddan ni ar gwch. Neu long. Llong oedd hi, roedd hi'n fawr, digon mawr i'n cario ni i gyd. Ac i gario'r grawn. Nid bod yna lawer o rawn.

Pa rawn, Alor?

Sut wyt ti'n gwbod fy enw i?

Dio'm ots am hynny. Esbonia am y grawn.

Grawn prin. Hen rawn. Grawn nad oedd neb yn ei dyfu mwyach. Dyna oedd holl sail y peth – achub gwahanol rawn y byd cyn iddo ddiflannu. Roedd yna rawn o'r Ffindir, grawn a ddaeth o saith planhigyn, a'r saith planhigyn o naw hadyn a achubwyd. Ac roedd yna rawn o Gymru. Yr Hen Gymro. Dyna oedd enw'r grawn. Dyna oedd y label ar y llestr. Ac wrth i ni hwylio mi oeddan ni'n casglu mwy o rawn. Ac efo pob grawn roedd yna straeon. Dw i'n hoffi straeon, er nad ydw i'n gallu'u deud nhw. Dw i'n hoffi gwrando arnyn nhw, ac ym mhob stori mae 'na rywbeth gweledol sydd yn fy nenu. Neu rywbeth am y storïwr. Neu'r storïwraig. Y rhai sydd yn adrodd yr hanes rŵan neu'r rhai oedd yn ei hadrodd y tro cyntaf, pan oedd hi'n stori wir.

Pan oeddan ni'n derbyn hadau y barlys piws y gwnaeth hi ymuno â ni. Rhywle yng ngogledd Lloegr, neu efallai dde'r Alban. 'Sach chi feddwl y byswn i'n cofio enw'r porthladd. Ond mi oeddwn i'n wael, dim byd difrifol, ond digon i fy rhwystro rhag mynd i'r lan. Ond mi ydw i'n cofio codi o fy ngwely chydig ddyddiau wedyn, dringo'r ystol i'r dec a'i gweld hi. Roedd hi'n eistedd yno yn yr haul, ei choesau wedi'u croesi oddi tani, a llond dwrn o'r barlys piws yn cael ei osod fesul gronyn yn un neidr droellog o'i blaen. Rhywsut fe synhwyrodd fy mod i'n sefyll y tu ôl iddi hi. Trodd i edrych arna i a gwenu.

'Wyt ti isio stori?'

Petrusais.

'Dw i angen ymarfer. Mae'n well cael cynulleidfa o ryw fath i ymarfer.'

Eisteddais gyferbyn â hi. Wrth iddi hi adrodd y stori roedd hi'n symud y grawn – un munud roeddynt yn neidr, yna'n flodyn, yna'n afon, yna'n fflamau'r ddraig, yna'n eira. A'r eira'n lluwchio yn erbyn ei llaw, yn erbyn porth castell y tywysog.

Nid dim ond storïau am gestyll a thywysogion a dreigiau oedd hi'n eu hadrodd. Yn nes ymlaen, a ninnau'n cydorwedd mewn gwely cul, byddai'n adrodd straeon am ferch fach yn gorwedd yn ei gwely yn hwyr y nos ac yn aros i'r drws agor. Straeon am ferch fach fyddai'n gwylio'r cychod yn yr harbwr a'r cychod ar y gorwel ac yn breuddwydio am adael. Ond straeon i mi fyddai'r rheini. Gyda'r nos ar ôl swper, a'r criw i gyd yn gwrando, byddai'n adrodd y straeon am y dreigiau a'r tywysogion, a'r straeon am yr hadau. Yn ystod y dydd byddai'n crwydro howld y llong rhwng y sachau a'r cawgiau llawn grawn a hadau. A phan fyddwn i'n holi be oedd hi'n neud mi fyddai'n esbonio ei bod hi'n trio denu'r straeon o'u cuddfannau.

Felly mi oeddach chi'n gariadon?

Ddim am hir, dim ond cydorwedd a sgwrsio. Doedd hi ddim ...

Ddim yn gallu mwynhau ar ôl be ddigwyddodd?

Does 'na ddim pwynt adrodd stori a titha'n ei gwbod hi'n barod.

Tydi hi byth yr un peth, siŵr. Ac mae 'na lawer ohoni nad ydw i'n ei wbod.

Deud oeddwn i ei bod hi'n crwydro'r howld yn ystod y dydd, yn dod i adnabod yr hadau i gyd. Ac yna'n adrodd eu hanes. Roedd yr hanes moel, yr ychydig wybodaeth oedd ganddon ni, yn cael ei gofnodi yn y lòg, wrth gwrs. Ond trwy ei straeon hi fe fyddem i gyd yn dod i gofio. Cofio a deall. Mi hoffwn i petawn i'n gallu cofio'r straeon, fe fyddai o gymorth i bawb rŵan. Petawn i'n cofio'r straeon fe fyddai posib gwbod pryd i'w hau, lle i'w hau, pa ganeuon i'w canu iddynt. Ond mi aeth y straeon efo hi. Ac mi aeth y cerddi efo'r bardd. Am wn i bod y sgwennwr wedi boddi hefyd. Ond wyddai neb be oedd o'n ei sgwennu. Efallai fod ei lyfrau yn dal yno petawn i'n nofio'n ôl, ond wna i ddim gwneud hynny. Roedd hi'n ddigon o gamp dychwelyd unwaith a dod â chydig o'r grawn efo fi i'r lan. Eistedd yn fama wna i rŵan a gwylio'r llong yn torri'n ddarnau. Eistedd yn fama ar ben y clogwyn a gwylio popeth yn yr howld, heblaw y mymryn wnes i ei achub, yn mynd efo'r tonnau.

Mi ddudist ti y bysa cofio'r straeon o gymorth i bawb?

Dw i'n anghofio. Does yna ddim pawb, yn nag oes? Ond falla bod 'na rywun arall wedi byw. Falla'u bod nhw wedi cyrraedd y lan yr ochr arall i'r trwyn, a heb gael hyd i mi.

Efallai y byddai rhywun arall yn cofio'i straeon hi'n well.

Doedd 'na neb yn ei nabod hi cystal â fi. Wnaeth 'na neb wrando arni hi mor aml â fi, gwrando mor astud â fi. A tydi hi ddim yn debygol y byddai 'na neb wedi cael ei olchi at ochr arall y trwyn. Ffor'ma mae'r lli'n dod. Fi ydi'r unig un all edrych ar ôl y grawn rŵan.

A fi.

Ond ti ddim yn bod, nag wyt? Dyna pam mae'n rhaid i mi gofio. Ac ar ôl cofio mae'n rhaid i mi wneud. Ac ar ôl i mi wneud rhaid i mi barhau i wneud. Hi oedd yn deud hynna, yn un o'i straeon. Dyna sut mae gwarchod y grawn – cofio a gwneud a dal ati i wneud. Honno oedd y stori oedd yn dechrau â hithau'n dringo i ben bryncyn ar brynhawn braf o haf, ac yn gweld popeth o fanno. Roedd hi'n deud mai wedi dwyn y stori oedd hi, ond tydi o ddim ots am hynny, nag ydi? Be sy'n bwysig ydi mod i'n plannu'r grawn a'i warchod, rhag ofn i rywun arall ddod rhywbryd. Ac mi gawn nhw fara, ac mi gawn nhw stori.

156

Y Gwir

Taith forwrol yw *Seed Journey* sydd yn gysylltiedig â phrosiect celf gyhoeddus yn Norwy. Maent yn casglu pob math o rawn yn hemisffer y gogledd a'i gario, ar long hwyliau, i'w gartref yn y Dwyrain Canol. Mae'r criw yn cynnwys, yn eu tro, artistiaid, anthropolegwyr, biolegwyr, pobyddion, llongwyr a ffermwyr. Roeddynt ar restr fer Artes Mundi 7 yng Nghaerdydd a cheir mwy o wybodaeth yn

http://futurefarmers.com/seedjourney